РОМАН С ЖИЗНЬЮ

Christophe Bourseiller

CARLOS CASTANEDA. LA VÉRITÉ DU MENSONGE

Кристоф Бурсейе

«КАРЛОС КАСТАНЕДА. ИСТИНА ЛЖИ»

Издательский дом «Флюид»
FreeFly™
Москва, 2008

УДК 821.133.1-31
ББК 84(4Фра)-44
Б90

Перевод с французского О. Чураковой

Художественное оформление серии «BootBooks»

Бурсейе К.

Б90 Карлос Кастанеда. Истина лжи / Пер. с фр. – М.: «ИД «Флюид», 2008. – 208 с. – Роман с жизнью.

Кристоф Бурсейе – известный во Франции автор, опубликовавший с 1989 года более двадцати книг, а также киноактер, снимавшийся в ряде фильмов, в том числе у Жана-Люка Годара.

Книга «Карлос Кастанеда. Истина лжи» – это первая полноценная биография Карлоса Кастанеды, которого можно смело причислить к величайшим загадкам XX столетия. Книги Кастанеды издавались миллионными тиражами, были переведены на 17 языков, в том числе на русский. Достоверно о нем известно лишь то, что он – автор десяти бестселлеров и основатель компании, ныне владеющей правами на его творческое наследие. Все остальное – не более чем предположения, если не сказать, домыслы. Кастанеда тщательно сохранял тайну своей личности, практически не давал интервью и категорически отказывался фотографироваться. И лишь теперь, с появлением книги Кристофа Бурсейе, можно говорить о наличии настоящей биографии, раскрывающей многие тайны Карлоса Кастанеды, большинство из которых он сам же и создал. Зачем он это делал? В чем секрет притягательности его личности? На эти вопросы и отвечает Кристоф Бурсейе, увлекшийся творчеством Кастанеды еще в детстве.

ISBN 978-5-98358-194-4

**Этой ночью у меня снова были галлюцинации:
я видел реальность, которая посильнее
любого наркотика. Это было невыносимо.**

Ромен Гари

Карлос Кастанеда просил своих последователей сменить имена. Я постарался по возможности обозначить псевдонимы курсивом.

ВВЕДЕНИЕ
ДОРОГА В НИКУДА

МЯТЕЖНИК И СМУТЬЯН

Вопреки распространенной легенде, которая изображает Карлоса Кастанеду слащавым певцом прошлого и показной бравады хиппи, его скорее можно назвать разрушителем традиционных форм.

Яростный уничтожитель всего устоявшегося, этот смутьян без устали манипулировал литературными жанрами. Кто же перед нами – поэт, философ, антрополог или писатель? Он ловко перебрасывал мосты из одной области в другую и посмеялся над книжными правилами.

Будучи «популярным» автором, он всю жизнь купался в славе, начиная с «Учения дона Хуана» и заканчивая «Активной стороной бесконечности», а в промежутке выходили «Отдельная реальность», «Сказки о силе», «Сила безмолвия», «Искусство сновидения»... Подобные черным алмазам, эти невиданные и будоражащие воображение книги выводят на сцену загадочного персонажа, Учителя, который вполне мог быть двойником самого автора.

И все же его книги вызывают подозрения в мошенничестве. Уж не морочит ли он людям голову, и не шутка ли вся эта история? Другими словами: действительно ли он пережил все эти видения в сердце американской пустыни?

Существует одно отягчающее обстоятельство: до сих пор не было написано ни одной биографии скандального писателя. И тому есть причины. Кастанеда всю жизнь прятался и скрывался. У него не было ни адреса, ни номера телефона. Его жизнь настоящий ребус.

МОШЕННИК ИЛИ ТАИНСТВЕННЫЙ ПИСАТЕЛЬ?

Это парадоксальная история о человеке-загадке, о таинственном писателе, умершем в 1998 году и прошедшем самый необычный творческий путь.

Вначале Кастанеда всего лишь студент факультета антропологии. Прилежный ученик готовит дипломную работу об использовании психотропных растений в индейской культуре.

Его самая первая книга «Учение дона Хуана: путь знания индейцев яки», вышедшая в 1968 году, представлена как сугубо научный труд. Познакомившись с индейцем племени яки с поэтичным именем *дон Хуан*, молодой исследователь попробовал множество запрещенных субстанций в те времена, когда хиппи отстаивали право употреблять галлюциногены.

Мог ли он вообразить, что его работа станет манифестом целого поколения? В эйфории шестидесятых книги Кастанеды были восприняты подобно Евангелию о дурмане. Тысячи исследователей устремились в Аризону на поиски пейота[1] и духовных наставников.

---

1 Пейот – маленький, не имеющий колючек кактус *Лофофора уильямсии*, основным ингредиентом которого является галлюциноген Мескалин. Еще с древних времен пейот использовался на севере Мексики и на юго-западе США как часть традиционных религиозных ритуалов. *(Здесь и далее примеч. переводчика)*

Карлос Кастанеда познал оглушительный успех... Но кто он на самом деле? Некоторые причисляют его к поклонникам индейской культуры. В начале семидесятых годов коренное население Америки было заражено духом противоборства. Возникает недолговечное Движение американских индейцев, участникам которого удается временно захватить остров-тюрьму Алькатрас, где они воображают себя жителями свободной земли. Позднее рок-группа «Редбоун» будет воспевать исчезнувшую нацию.

Карлос Кастанеда пользуется поразительной популярностью. Его произведение называют необычным, сравнивают с поэзией Рене Шара и кое-какими фрагментами из Эдмона Жабеса.

Однако пока никакой ярлык ему прицепить не удается.

Он становится идолом поклонников эзотерики наравне с госпожой Блаватской, Элис Бейли, Рене Геноном и Георгием Ивановичем Гурджиевым. Его читают и обсуждают в оккультистских кругах.

С течением времени заблуждений на его счет возникает все больше. Произведения Кастанеды – смесь некой мистики, философии и поэтических озарений. Но в глазах большинства его толкователей, писатель прежде всего – «духовный наставник», «проводник», «первооткрыватель», «вожатый».

Потворствовал ли Кастанеда этим многочисленным интерпретациям и соглашался ли с ними? Самым очевидным образом он поддался вихрю «нового века». В последние годы жизни Кастанеда сознательно превратился в «калифорнийского мага» и давал платные «практические занятия». Он отрекся от поэзии в пользу более выгодного рынка паранормальных возможностей. Но стоит ли в наказание за этот грех предавать его забвению? Должны ли мы сегодня изгнать его на задворки истории и приравнять к отбросам «вторичных» религиозных учений?

К чему скрывать? Существует загадка Кастанеды, которая состоит вовсе не в тайне, окружавшей его жизнь, и не в выдумках автора о собственном прошлом, – она в притягательности его книг, которые завораживают читателя.

Потому-то я и решился на эту авантюру – написать его биографию. Мною двигало желание, быть может, наивное, – восстановить ход событий и воздать писателю по заслугам.

Для меня книга о Кастанеде – знак дружеского отношения. Это мое послание Карлосу, которое в двух словах означает: «В Европе есть люди, которые читают тебя, и читают с большим интересом...»

НЕВОЗМОЖНОСТЬ «ВОЗВРАТА К КАСТАНЕДЕ»

Мне хотелось навсегда сохранить одно яркое воспоминание. Я познакомился с книгами Карлоса Кастанеды в возрасте примерно тринадцати лет при весьма любопытных обстоятельствах.

Мои родители вернулись из Беркли, где провели довольно долгое время. Среди прочего багажа они привезли много всякой всячины: пластинки с записями Капитана Бифхарта, Элис Купер и Фрэнка Заппы, «подпольные» газеты («Беркли барб», «Беркли трайб», «Сан-Франциско орэкл», «Авер синс» и другие), пестрые афиши (мы называли их «психоделическими»), а также в разговорах беспрестанно упоминалось имя Карлоса Кастанеды. Шел 1972 год.

Стоит ли напоминать, что я вырос в театральной семье? Моя мать была актрисой и играла Федру. А моя бабушка заведовала кассой театра «Юшетт». Помню, в 1975 году мы всей семьей отправились на спектакль, шедший в каком-то зале Четырнадцатого округа. Кажется, эта пьеса про индейцев в исполнении «аборигенов» была написана по мотивам книг Кастанеды. Спектакль не произвел на меня впечатления.

В конце семидесятых годов я поступил на подготовительные курсы бальзаковского лицея. Нашего учителя философии звали Франсуа Везен. В дальнейшем он стал известен как переводчик «Бытия и времени» Мартина Хайдеггера. Везен не был обыкновенным учителем. К своему ремеслу он относился как к ритуалу, а то и театральному действу. Он не столько объяснял нам те или иные постулаты, сколько учил работать с книгой. Он считал себя учителем начальной школы и хотел «познакомить» нас с философией. Гераклит, Парменид и Эмпедокл открыли мне новый взгляд на жизнь. Разве не разумно предположить, что между философией и поэзией существует некая тайная связь? «Все, что существует, создается поэтами», – говорил Гёльдерлин в стихотворении «Воспоминание». Новалис, Тракл, Штифтер перекликались с Паскалем, Ницше и Хайдеггером.

Однажды Франсуа Везен начертал мелом на доске загадочные слова: «Для меня существуют только те дороги, у которых есть сердце».

И ниже подпись: Карлос Кастанеда.

Шаг за шагом образ прояснялся. Разве дорога поэзии, о которой говорил писатель, не напоминает странным образом «Holzwege»[1] Мартина Хайдеггера, так на-

---

1 Название одного из наиболее известных сборников Хайдеггера позднего периода. Переводилось оно по-разному: «Неторные тропы», «Лесные тропы».

зываемую «лесную тропу» – название, которое на французский традиционно переводят «дорога в никуда»?

В РАЗДЕЛЕ «РОМАНЫ»

Я решил, хотя бы и с опозданием, встать на защиту писателя. Мною двигали самые добрые побуждения...

Оккультный автор, презираемый, непонятый, скверно прочитанный, Кастанеда заслуживал лучшей доли, нежели быть преданным забвению. Плевать в звезду – что может быть глупее. Писатель из Америки занимал в литературе совершенно особое место. Мне пришлось приложить все силы, чтобы рассеять окружавший его густой туман лести и насколько возможно восстановить достоинство творческой личности.

Моим исследованиям предшествовал один случай. Усомнившись в том, что я внимательно прочел все книги Кастанеды, я для очистки совести отправился в «Ла Прокюр». Разве не этот парижский книжный славится обширным отделом произведений об «иных» верованиях? Я обследовал небогатый запас книг, посвященных культам американских индейцев и прочему «шаманизму», но так и не нашел того, что искал. Утомившись поисками, я обратился за помощью к продавщице. Слегка усмехнувшись, она препроводила меня прямиком в раздел «романы». Этим все было сказано.

В своих книгах Карлос Кастанеда рассказывает об учении, которое открыл ему индеец яки, встреченный в аризонской пустыне. Будучи доктором антропологии, автор всегда настаивал на *научности* своих экспедиций. Однако спустя десятилетие после смерти его сочли недостойным находиться в одном ряду с «настоящими» исследователями. Как относиться к произведению до такой степени не понятому и раскритикованному?

В моей затее таился вызов. Я надеялся реабилитировать забытого автора, совершить «возвращение к Кастанеде».

Но потерпел полную неудачу. Поведать ли мне о том, что эта книга занесла меня к таким неведомым берегам, о которых я и понятия не имел?

Я хотел воевать, драться, защищать, раздувать огонь... Но мой замысел написать биографию скоро рассыпался в прах. Неужели, начав с нуля, я так ничего и не достиг, заблудился в трех соснах и не сумел изложить историю этой потрясающей жизни?

Я надеялся рассказать о зарождении удивительного, загадочного произведения, но, сам того не желая, ступил на зыбкую почву, полную коварных ловушек и западней. Я и представить себе не мог, куда заведет меня эта работа.

Возможно, эта биография – рассказ о крушении замыслов. Я отправился на встречу с таинственной, ускользающей личностью. Упустил ли я свою цель? Вовсе нет. Просто мои крылья растаяли, когда я подлетел к солнцу.

ГЛАВА 1

1926–1951 гг. КАК ВСЕ НАЧИНАЛОСЬ

ИСТОРИЯ ПРО ОСЛА И ГРИФА

Вначале я наткнулся на стену. Разве не бахвальством было с моей стороны надеяться проследить жизнь человека, который всегда умудрялся ее скрывать? Закоренелый лгун, известный мифотворец, поклонник русской рулетки, поэт, желающий переделать собственную судьбу, Карлос Кастанеда намеренно сжег все мосты и стал совершенно неуловим.

Что думать о человеке, который никогда не переставал лгать своей семье, друзьям, преподавателям, любовницам и журналистам? Мне пришлось скитаться по лабиринтам фальшивых двойников, вымышленных имен, наполовину правдивых историй, поведанных вполголоса.

Произведения Карлоса Кастанеды рассказывают об учении, которое ему якобы преподал таинственный дон Хуан. Помимо прочего, ученику рекомендовалось уничтожить свою биографию. В одной из последних книг «Активная сторона бесконечности» Кастанеда оправдывает это отречение от собственной личности: «Памятные события несут на себе темную печать безличия»[1]. Уничтожение «я» – конечная цель кастанедовских исканий.

Таким образом, уже в самом начале всякие биографические исследования представляются тщетными. Заурядный пересказ событий бесполезен, ибо ищущий существует в совершенно *иной* реальности, которой нет дела до обычной жизни. Эго – всего лишь ненужный хлам.

Манипулируя парадоксами с ловкостью самурая, Кастанеда, однако, порой не без юмора утверждает, что все его труды автобиографичны. В книге «Дар орла» он пишет: «Автобиография эта весьма своеобразна, поскольку я не веду в ней речь, подобно всякому нормальному человеку, о повседневных событиях моей жизни или о вызванных этими событиями субъективных состояниях. Я пишу скорее о тех метаморфозах моей жизни, которые были непосредственным результатом принятия мною *чуждой* мне системы идей и действий»[2].

Автор позволяет нам прикоснуться к непознаваемому. Кто сказал, что память и чувства главенствуют над воображением?

Кастанеда никогда не скупился на забавные истории и в свои книги часто вставлял пикантные случаи из личной жизни. Но должны ли мы понимать их буквально? В критическом эссе «Свет и тени Карлоса Кастанеды» Дэниел С.Ноэл подчеркивает его двуличность: «Много недель подряд корреспондентка «Тайм» Сандра Бартон вела долгие беседы с Карлосом Кастанедой. Он показался ей очаровательным, любезным и до определенной степени убедительным, но оказалось совершенно невозможным узнать о его жизни до встречи с

---

1 «The Active Side of Infinity», HarperCollins Publishers, New York, 1998.
2 «The Eagle's Gift», Simon and Schuster, New York, 1981.

доном Хуаном; он предупредил, что изменит имена, время и место событий, оставив нетронутыми лишь пережитые чувства»[1]. Странная откровенность обманщика... «Я не скажу правды», – коротко и ясно предупреждает притворщик.

Все это ставит под сомнение правдоподобность моих собственных слов. Является ли законным мое биографическое исследование и оправдывает ли его данная книга? В «Даре орла» Кастанеда говорит о воине духа, который должен быть «бесформенным». Бесформенный – значит без четких очертаний, но еще и без прошлого. Возможно ли избавиться от личного опыта, как от бесполезной ноши?

«Активная сторона бесконечности» полна любопытных историй. Вот, например, басня про осла и грифа. В детстве Карлос хотел поймать грифа, который кружил над их владениями. Он придумал хитроумную ловушку. Залез в выпотрошенную тушу осла в надежде, что голодная птица набросится на нее. Хищник садится на тушу и запускает в нее клюв. Между мальчиком и «королем грифов» завязалась смертельная схватка: «Король грифов мог улететь вместе со мной, вцепившимся ему в шею, или разорвать меня своими страшными когтями. К счастью, его голова была наполовину погружена в скелет и внутренности, и когти впивались лишь в разорванные кишки, ни разу не коснувшись меня».

Как относиться к такому рассказу? В «Путешествии в Икстлан»[2] Кастанеда уже описал историю про сокола: ребенком он гостил на ферме своего дедушки. Дед узна-

---

[1] «Seeing Castaneda, Reactions to the «Don Juan» Writings of Carlos Castaneda» Daniel C.Noel (под редакцией), Putnam's, New York, 1976.

[2] «Journey to Ixtlan, The Lessons of don Juan», Simon and Schuster, New York, 1972.

ет, что сокол ворует у него кур. Вооружившись карабином, Карлос немедленно отправляется на охоту. Белый сокол взят на мушку, но палец охотника застывает на спусковом крючке. В конце концов, мальчик пощадил великолепную птицу.

Обе истории странным образом перекликаются друг с другом. Басня о грифе и осле особенно привлекает наше внимание, потому что вызывает ассоциацию с «театром жестокости», каким его показывали венские акционисты. Авангардные скульпторы Герман Нитш, Гюнтер Брус, Отто Муль и Рудольф Шварцкоглер в шестидесятые годы устраивают «хеппенинги», жуткие и провокационные ритуальные спектакли. Акционисты используют плоть вместо глины. Герман Нитш разделывает барана и раскладывает внутренности на теле обнаженного мужчины. В другой раз человек залезает в еще теплую тушу осла со вспоротым брюхом. Он запахивает шкуру словно полы пальто и пытается всунуть свою голову в череп животного[1].

Создается впечатление, что юный Карлос подражает акционистам. На деле же обе истории похожи на сказку. Все зависит от нашего к ним отношения. Кастанеда охотник до смачных сюжетов. Должен ли я поверить его рассказам, намеренно отвергая факты и действительность? Или мне нужно все опровергнуть, заручившись поддержкой очевидцев? В этой книге я хотел бы указать пути и расчистить тропы не затем, чтобы «вывести мошенника на чистую воду», как некоторые уже это проделали, а для того, чтобы дать справедливую оценку писателю, который, вполне возможно, и сам тяготился надетой на себя личиной.

---

1 «Writings of the Vienna Actionists» Günter Brus, Otto Muehl, Hermann Nitsch, Rudolf Schwarzkogler, Atlas Press, London, 1999.

ТАЙНЫ ДЕТСТВА

С самого рождения его жизнь окутана густым туманом.

Сандра Бартон из американского журнала «Тайм», попытавшаяся в 1973 году проследить первые шаги скрытного писателя, признается в своей неудаче: «По его собственным словам, Кастанеда – не настоящее имя. Он утверждает, что родился в «известной» семье, имя которой не называется, в Сан-Паулу, в Бразилии, в день Рождества 1935 года».

Отвечая на вопросы журналистки, Кастанеда изливает душу. Он вспоминает мать, которая умерла, когда ему было семь лет. Не скупится на подробности и истории: его воспитал отец, учитель литературы. Будучи по происхождению «бразильцем», учился он в Буэнос-Айресе, а потом в США. Изучал живопись в Милане. Его рассказ связный, поучительный и откровенный. Однако все это выдумка чистой воды...

В предисловии к очередному французскому изданию главного произведения Кастанеды «Учение дона Хуана» в 1985 году Ив Бюэн излагает совершенно иную версию. Теперь антрополог назван итальянцем, «который в юности перебрался в Южную Америку». Переплыв Атлантику, он «привез» с собой философию старушки Европы: «Рожденный в одном из культурных центров старой Европы, он познакомился с многообразной и космополитичной культурой двух крупных государств Южной Америки», – рассказывает Ив Бюэн. Как и Сандра Бартон, он упоминает Бразилию и Аргентину, но говорит о них как о новой родине. Это очередное нагромождение фактов так же несостоятельно, как и предыдущее.

Две версии одной и той же жизни? Существуют и другие, не менее фантастичные. Всего их насчитывают около пятнадцати. Кастанеда не устает приукрашивать, обманывать, вводить в заблуждение. Перед нами то и дело предстает жизнь, слепленная заново.

Стоит ли ссылаться на мифоманию? Правда и ложь без конца смешиваются, чтобы надежнее замести следы. Как распутать этот клубок небылиц? Невольно одолевают сомнения.

Приходится все пересматривать заново. Карлос Кастанеда родом ни из старушки Европы, ни из Бразилии. И родился не в 1935 году, а в 1926-м. Он появился на свет в городе Кахамарка, в Перу.

Город с древней историей, Кахамарка расположен в восьмистах пятидесяти шести километрах к северу от Лимы. Этот легендарный город был основан около трех тысяч лет назад на высоте 2719 метров над уровнем моря. В 1450 году Кахамарку завоевал Капак Юпанки, и с тех пор она стала частью империи инков.

Но 29 августа 1533 года в этом городе солдаты конкистадора Писарро захватили в плен императора Атауальпу. По легенде, во время казни Атауальпы случилось солнечное затмение.

Овеянная мифами и легендами, Кахамарка – излюбленное место «курандеро». Колдуны, знахари, костоправы – курандеро на свой лад передают знания, дошедшие из глубины веков. Кахамарка – настоящая Мекка этой непризнанной, но в высшей степени популярной в Латинской Америке медицины.

В этом примечательном месте 25 декабря 1926 года появился на свет Карлос Цезарь Сальвадор Арана Кастаньеда. Таким образом, уже с пеленок он был окружен суеверием, что говорит отнюдь не в его пользу. В Кахамарке истории о былой славе империи инков перемешаны с легендами. Разве забудешь о том, что таинственное солнечное затмение совпало с падением великой цивилизации?

Можно ли, однако, утверждать, что ребенок вырос в среде, где господствовали анимистские верования, к которым примешивалась некая ностальгия по доколумбовым временам? На это нет никаких оснований.

Семья вполне образованная. Отец – Цезарь Арана Бурунгарай – никакой не профессор, а хозяин ювелирного магазина в центре Кахамарки. Судьба его не вполне типична. Он закончил факультет «свободных искусств» университета в Сан-Маркосе, одного из самых престижных учебных заведений Латинской Америки. Однако карьера преподавателя его не прельстила. Быть может, тому виной легкомыслие? Он долго прожил в Лиме подобно «птичке на ветке», общаясь с художниками и тореро. Позднее, чтобы прокормиться, «неудавшийся» профессор занялся ювелирным ремеслом. В Кахамарке он не только перепродает чужие украшения. У него обнаруживается творческая жилка, и он становится ювелирных дел мастером, создавая собственные изделия.

Странный торговец продолжает интересоваться искусством и литературой. Увлекается философией. Читает Спинозу и Канта.

Карлос чрезвычайно привязан к матери, Сусане Кастаньеде Новоа. В одной из своих выдумок он утверждает, что пережил ее смерть в возрасте шести лет. Это утверждение породит ряд душещипательных историй. В «Отдельной реальности» он опишет страдания сироты: « (...) Мне было восемь лет. Моя мать умерла два года назад, и я проводил худшие годы моей жизни под опекой теток по материнской линии, которые заботились обо мне по очереди по два месяца. У каждой имелась своя большая семья, и, несмотря на их внимание и заботу, я вынужден был терпеть двадцати двух двоюродных братьев и сестер. (...) Казалось, что кругом враги, и в тяжкие годы, которые затем последовали, мне пришлось вести отчаянную, отвратительную войну»[1].

Его мать, однако, тогда была жива и здорова. Ее не станет гораздо позже, когда Карлосу исполнится двадцать два.

Для чего он выдумал раннюю материнскую смерть и в чем упрекает отца, которого без конца, в зависимости от сценария, обвиняет то в слабости, то в отлучках? Откроем книгу «Активная сторона бесконечности». Здесь снова воспоминания о несчастном детстве: « (...) Дядя, которого я любил, был возмущен, когда узнал, что мне ни разу не дарили подарков ни на Рождество, ни на день рождения. (...) Он без конца повторял, что я должен прощать тех, кто причинил мне зло».

Здесь Кастанеда не совсем кривит душой. Если ты родился 25 декабря, часто приходится выбирать между Рождеством и днем рождения. Однако он то и дело пишет о нескончаемых страданиях. Одинокий ребенок всеми заброшен и вынужден скитаться из семьи в семью. Карлос создает сказку об «уличном пареньке», предоставленном самому себе, с которым происходят удивительные приключения, подобные истории с ослом и грифом. Позднее произведение Кастанеды «Активная сторона бесконечности», опубликованное в девяностых годах XX века, представляет собой целое собрание сказок.

Например, автор утверждает, что у его дедушки был бильярдный стол. Мальчик частенько тренировался за ним и стал настоящим чемпионом. Когда ему было девять лет, его приметил какой-то негодяй, задумавший обогатиться за счет «чудо-ребенка», которого заставил играть по ночам в барах. Юного Карлоса эксплуатировали несколько месяцев, пока наконец запоздало не вмешался

---

1 «A Separate Reality, Further Conversations with don Juan», Simon and Schuster, New York, 1971.

дедушка: «Дед неожиданно – по крайней мере, для меня – решил переехать подальше, в другой район».

Славный предок зачастую противопоставляется беспомощному отцу. Карлос не скупится на похвалы деду, называя его «главным человеком в своей жизни». Пространно он описывает и бабушку – особу, явно не лишенную некоторой эксцентричности. И тот, и другая доводятся ему родней по материнской линии.

В свою очередь отца и матери никогда не бывает рядом, они сдали свои позиции.

А как обстояло на самом деле?

Имена собственные имеют свою историю. Бурунгарай – баскского происхождения, а Новоа – португальского. Что же касается Кастаньеды и Арана – эти фамилии испанские.

Дед Карлоса по материнской линии – рыжеволосый коротышка родом из Италии. Этот зажиточный фермер – настоящий глава семьи. В чувстве юмора ему не откажешь. Как-то раз дед собрал своих домашних для торжественной демонстрации. Хотел испробовать устройство собственного изготовления – он только что изобрел... новый туалет.

У Карлоса незаурядная семья. Если дед проявлял себя большим оригиналом, то отец и подавно тяготел к богемной жизни в ущерб финансовому благополучию.

В то же время детство Кастанеды выглядит совершенно «обычным». Карлос – темноволосый, коренастый подросток, переживающий из-за маленького роста.

В 1932 году он поступает в государственную школу номер 91. В те годы Кахамарка насчитывает пятнадцать тысяч жителей и страдает от изоляции. Железной дороги здесь еще нет. До ближайшей станции три дня пути верхом на муле. Три дня по опасным горным тропам, заснеженным ущельям и крутым склонам.

Поначалу Карлос живо интересуется отцовской ювелирной мастерской. Но разве не естественно для ребенка восхищаться своим отцом? Он проводит долгое время в семейной лавке. Учится придавать форму золоту, серебру и меди. Очень скоро он уже сам создает украшения, проявляя творческие способности. Еще он любит мастерить затейливых воздушных змеев, которых запускает в перуанское небо.

Его воспитывают католиком. Каждое воскресенье он ходит к мессе. Семья Арана достаточно просвещенная. Ее даже можно было бы назвать «мелкобуржуазной». Когда Карлос и его кузина Люсия болеют, они посещают доктора, а не курандеро. Позднее Карлос будет называть Люсию своей сестрой. На деле же он – единственный ребенок.

УЕХАЛ, НЕ ОСТАВИВ АДРЕСА

Италия то и дело упоминается подобно несбывшейся мечте. В «Активной стороне бесконечности» Кастанеда рассказывает об одной важной поездке, которую он якобы совершил в студенческие годы с целью обучения скульптуре. Не называя города, где все происходило, он подробно рассказывает о своей дружбе с неким шотландцем, развратником и сумасбродом. Этот последователь Бертрана Рассела якобы водил его в дома терпимости. Можно долго перемывать кости писателю по поводу столь сомнительного эпизода.

На самом деле все куда прозаичнее. Карлос попросту учится в школе Сан Рамон в Кахамарке. В 1948 году семья Арана переезжает в квартиру в пригороде Лимы, округ под названием Порвенир. Карлосу двадцать два года. Он поступает в национальный колледж Гваделупской Божьей Матери.

Получив диплом о среднем образовании, Кастанеда решает поступить в Художественную академию Лимы. В этот период молодой человек страстно увлекается живописью. В конце сороковых годов творческая жизнь столицы Перу бьет ключом, здесь собирается много художников. Духовное становление Карлоса происходит в этой пестрой атмосфере, где авангард соседствует с традиционным искусством. Он очень любит бывать в историческом музее, которым руководит писатель Хосе Мария Аргуэдас. Там можно созерцать портреты королей и вице-королей Перу. Туда же приходят полюбоваться полотнами XIX века, которые свидетельствуют о «предсюрреалистских» настроениях некоторых перуанских художников.

В 1949 году семью постигает несчастье. Сусана Кастаньеда Новоа умирает после непродолжительной болезни. Карлос потрясен смертью матери. Его горе так глубоко, что он отказывается присутствовать на похоронах и на три дня запирается у себя в комнате без пищи и воды.

Несчастливый 1949 год становится переломным. Карлос начинает сомневаться в своей любви к изящным искусствам. Разве украшения, созданные им с таким талантом, предназначались не матери, которую он обожал больше всего на свете?

Отныне ему надлежит стать взрослым, освободиться от душевных привязанностей и перестать плакаться на судьбу. После скорбного заточения из комнаты выходит почти взрослый мужчина. Мужчина или «воин» – слово, которое позднее мы услышим из уст дона Хуана.

Карлос намечает себе новую цель. Он хочет как можно скорее эмигрировать в США, чтобы сделать там карьеру художника и скульптора. Его по-прежнему привлекает искусство доколумбовой эпохи. Музей Ларко Херрера располагает богатой коллекцией экспонатов. Но самые редкие диковинки хранятся в музее археологии. Именно здесь Карлос может вволю изучать предметы, некогда служившие курандеро.

По правде сказать, молодого студента почти не интересует духовная сущность предметов, которые он разглядывает. Его любопытство чисто эстетическое. Он всецело отдается изобразительным искусствам. Один из преподавателей, Алехандро Гонсалес Апу-Римак, хвалит его работы и советует продолжать карьеру художника.

Кастанеда покидает родительский дом и снимает квартиру совместно с двумя лучшими друзьями – Карлосом Релусом и Хосе Бракамонте. Последний вспоминает о нем с улыбкой. По его словам, этот «талантливый весельчак жил в основном азартными играми (карты, ипподром, кости) и был буквально «одержим» желанием уехать в США». Еще один приятель по имени Виктор Делфин со смехом говорит о беспрестанном вранье Карлоса: «Это был непревзойденный лгун и искусный соблазнитель. Помню, девушки часами дожидались его в «Беллос артес». Мы прозвали его «золотая улыбка», кажется, у него был золотой зуб»[1].

Карлос Арана – университетский «Дон-Жуан»? На Аполлона он совсем не похож. И однако, девичьи сердца капитулируют от бархатного взгляда коротышки-сердцееда с ловко подвешенным языком. Карлос противоречив в своих поступках. Он любит вечеринки и девушек, но держится настоящим аскетом. Не курит, не пьет и окружает себя тайнами. Его однокурсники ничего не знают о нем. Он не рассказывает, что его отец живет в нескольких сотнях метров от их квартиры.

Стыдится ли он провинциального ювелира, который добровольно избрал скромную жизнь? Карлос

---

1 Richard de Mille «The Don Juan papers, Further Castaneda Controversies», Ross-Erikson, Santa-Barbara, 1980.

желает преуспеть в учебе, добросовестно трудится и охотно разыгрывает «идеального жениха».

Он пытается соблазнить студентку Долорес Дель Розарио, наполовину китаянку, наполовину перуанку, и долгие месяцы ухаживает за ней. Но девушка дорожит своей добродетелью и остается неприступной. У Карлоса, впрочем, в запасе много хитрых приемов. Исчерпав все средства, он, наконец, обещает жениться. Назначается день свадьбы. Девушка забеременела.

Месяц спустя Карлос Арана бросает Долорес. 10 сентября 1951 года молодой перуанец двадцати четырех лет вместе с другими шестнадцатью пассажирами садится в Каллао на грузовое судно «Явари», чтобы никогда уже не вернуться.

«Явари» прибывает в Сан-Франциско 23 сентября 1951 года. Для родных, друзей и любовниц Карлос просто-напросто «испарился». Лишь много недель спустя он напишет своей кузине Люсии, рассказав о таинственной военной службе и боевых ранениях.

В странах Латинской Америки не жалуют матерей-одиночек. Долорес клеймят позором. Ее дочь Мария отдана на воспитание в монастырь. Что же до Карлоса, он упомянет об этом случае лишь годы спустя. Его связь с Долорес ляжет в основу пикантного рассказа, нашпигованного правдой и вымыслом, где будет утверждать, что эмигрировал в Штаты, спасаясь от китаянки, курившей опиум[1]. Он также расскажет о девочке, рожденной «в Бразилии», которую назовет Карлоттой. По всей вероятности, молодой казанова не задумывается о печальных последствиях своих похождений. На его счету уже значатся первые жертвы.

---

[1] Margaret Runyan Castaneda «A Magical Journey with Carlos Castaneda», Millenia Press, Victoria, 1997.

ГЛАВА 2
1951–1959 гг. ПОКОРЕНИЕ СОЕДИНЕННЫХ ШТАТОВ

НЕОБЫКНОВЕННАЯ СУДЬБА КАРЛОСА *АРАНХИ*

Карлос Кастанеда часто говорил, что эмигрировал в Соединенные Штаты через Нью-Йорк. И добавлял, что провел в этом городе несколько месяцев.

Мы же с вами знаем, что он попал в Америку через Сан-Франциско.

О первых неделях его пребывания ничего не известно. Наш герой временами хвастается тем, что служил в элитных войсках «коммандос», загадочном отряде «специального назначения», якобы участвовал в кровопролитных боях и был ранен в живот... Быть может, он воевал в Корее? Ничто не дает нам права это предполагать.

Известен один факт: в марте 1952 года Кастанеда познакомился с художником из Пико-Ривера, городка к югу от Лос-Анджелеса. В то время Иван Калвер пользуется некоторой популярностью. Могло ли статься, что оба художника каким-либо образом работали вместе?

В течение 1952 года Кастанеда обустраивается в Лос-Анджелесе и знакомится с молодой женщиной по имени Лидетт Мадуро, которую дружески называет Нанекка.

В этот период Карлос Арана прибавляет букву «х» к своей фамилии. Отныне он представляется Карлосом *Аранхой.* В этой метаморфозе нет ничего необычного. Так он хочет подтвердить статус выходца из Бразилии. Теперь, куда бы ни отправился молодой перуанец, он везде называет себя бразильцем итальянского происхождения. Лишняя «х» имеет, однако, более определенный смысл.

Карлос утверждает, что является родственником Освальдо Аранхи. Мудрено придумать более выгодное родство. Освальдо Аранха – один из наиболее популярных политических деятелей Бразилии. За несколько месяцев до рождения Карлоса, в 1926 году Освальдо Аранха защищал город Итаки, когда тому грозили повстанцы. Будучи ранен в ногу, он повел войска в контратаку, размахивая пистолетом на манер Эмильяно Запаты. Затем стал реформатором и был избран в президиум Генеральной ассамблеи ООН. Освальдо Аранха был министром, потом послом Бразилии в Вашингтоне и даже выставлял свою кандидатуру на пост президента. В пятидесятые годы он пользуется такой же популярностью в Америке, как Нельсон Мандела.

С невероятной дерзостью Карлос всюду представляется племянником Освальдо Аранхи, подчеркивая «родственную связь» с известным политиком. Якобы это дядюшка Освальдо отправил его в Америку, чтобы спасти от опасного влияния «китайской опиоманки».

На деле же Карлос *Аранха* – безвестный перуанский эмигрант, сын торговца из Кахамарки. Но он грезит наяву и сам творит семейную историю. Если настоящая жизнь его не устраивает, он меняет ее по собственной прихоти, уходя все дальше по лабиринтам лжи.

Летом 1955 года юноша с богатым воображением поступает в «Лос-Анджелесский коммьюнити колледж»

(ЛАКК), расположенный в комплексе кирпичных зданий на Вермонт-стрит, к югу от Голливуда. Станет ли он и здесь упоминать о знаменитом покровителе Освальдо Аранхе? Против всяких ожиданий он снова меняет карты и на этот раз называет себя Карлосом Кастанедой, гражданином Перу, родившимся 25 декабря 1931 года. Дата рождения вымышленная. Что касается Кастанеды – это фамилия его матери, лишенная испанского «нь». Однако для большинства знакомых он по-прежнему Карлос *Аранха.*

До сих пор Кастанеда проявлял неослабный интерес к изобразительным искусствам. Не для того ли он эмигрировал в США, чтобы посвятить себя карьере художника? Однако поступает он на факультет журналистики, а также посещает лекции «литературного мастерства» – американской методики, позволяющей состряпать книгу с помощью безотказных инструкций.

Эти метания говорят сами за себя. Карлос не может понять, чего хочет. У него нет ни социального, ни гражданского статуса. Как следует его называть? Арана, Кастанеда или Аранха? Кто он – студент, художник или начинающий писатель?

Отныне он влачит жалкое существование в маленькой квартирке на Мэдисон-стрит, в Голливуде, неподалеку от колледжа.

ЗАВОЕВАНИЕ МАРГАРЕТ

В декабре 1955 года этот ищущий свое призвание молодой человек знакомится с красивой, умной девушкой с проницательным взглядом.

Его первая встреча с Маргарет Раньян состоялась благодаря Лидетт Мадуро. Они подруги. Мать Лидетт, Анджела Мадуро, искусная портниха. Она сшила Лидетт и Маргарет платья для коктейля. Как-то вечером Лидетт понесла платье Маргарет, которая жила в доме 5301 по Восьмой Западной улице. Ее сопровождает Карлос.

Маргарет Раньян родилась 14 ноября 1921 года в Чарльстоне, штат Вирджиния, ей тридцать четыре года, тогда как Карлосу всего двадцать девять.

Девушка сразу покорена, но не желает это показывать.

Несколько дней спустя она приходит к Карлосу, чтобы вручить ему книгу, на которой написала номер своего телефона.

Стоит ли расценивать это как решительный шаг влюбленной женщины? Наверное, нет, даже если подобный поступок и не лишен двусмысленности. Такое поведение было продиктовано ее религиозным увлечением. Маргарет – страстная поклонница «духовного учителя» Невилла Годдарда (1905–1972).

Выходец из богатой семьи Барбадоса, Годдард называет себя бродячим проповедником. Этот необычный протестант, увлеченный буддизмом, рекомендует ежедневные упражнения по самосовершенствованию, медитации и «позитивному мышлению». Таким образом, он больше похож на гуру, чем на священника. Годдард настолько близок к божественным сферам, что общается на короткой ноге с самим Творцом. Так, по крайней мере, утверждают члены его группы.

Маргарет Раньян хочет вручить Карлосу книгу-откровение Невилла Годдарда, которую его последователи считают себя обязанными распространять – *«The Search»* («Поиск»). Возможно, она надеется «завербовать» Карлоса и попытаться обратить его в свою веру.

Тот принимает подарок. Однако его больше интересует сама Маргарет Раньян, а не причудливый синкретизм Невилла Годдарда. Карлос представляется бразильским скульптором. Ему бы хотелось изваять бюст. Не согласится ли леди ему позировать?

Но он позвонит ей только в июне 1956 года. Прошло целых полгода. Как-то вечером он случайно заходит показать ей кое-какие картины. Все полотна Карлос специально привез с собой в багажнике. Он говорит, что его связь с Лидетт в прошлом. Однако это ложь.

Отношения Карлоса с Маргарет отмечены печатью «без права собственности». Это странная любовь взрослых людей, которые не хотят признаться во взаимном влечении и пугливо цепляются за свою независимость, продолжая коллекционировать любовников на стороне. Эта философия «верности многим» не спасает от страданий и вспышек ревности.

Любовники часто бывают вместе. Они регулярно ужинают в кафе, ходят на выставки и в кино. Что может быть естественнее, когда живешь в столице мирового кинематографа. Больше всего Карлосу нравятся русские фильмы и картины Ингмара Бергмана.

Маргарет признается, что очарована своим загадочным любовником, который без конца кружит ей голову чудесными историями. Порой она расспрашивает его о прошлом, о родителях и родной стране. Но он отвечает уклончиво и заново переделывает свою биографию.

На этот раз он родился в Италии 25 декабря 1931 года. Ему нравится называть себя внебрачным сыном шестнадцатилетней девушки, которая заканчивала учебу в Швейцарии, когда повстречала его отца, богатого бразильца, бывшего проездом в Европе. Плод осуждаемой моралью запретной любви Карлос воспитывался в Италии наскоро выписанной из Америки тетушкой. Потом его отвезли в Бразилию, где он и вырос. Долгое время он жил на лоне природы на ферме. В возрасте около двадцати лет снова уехал в Италию. Там изучал изобразительные искусства. И наконец оказался в Нью-Йорке, чтобы пополнить ряды эмигрантов из старой Европы.

Сказать по правде, сценарий его прошлой жизни постоянно меняется. Однажды Карлос рассказал Маргарет, что недавно был ранен штыком в живот, когда служил в «спецвойсках» американской армии. Его посылали с секретной миссией в другую страну. Как-то ночью на их лагерь напали. Неожиданно проснувшись, он чудом избежал гибели. В последнюю секунду на помощь подоспели американские войска. Таким образом, Карлос – «выживший герой», побывавший на волосок от смерти!

РЕШАЮЩЕЕ ВЛИЯНИЕ ОЛДОСА ХАКСЛИ

Пока наш герой потчует друзей и знакомых поразительными и всегда разными историями, его душу грызет червь сомнения. Стоит ли продолжать карьеру художника, если галереи Лос-Анджелеса отказываются его выставлять? Стоит ли еще больше сближаться с Маргарет и думать о том, чтобы создать с ней «настоящий» союз?

26 апреля 1957 года он подает официальное прошение об американском гражданстве. В графе «род занятий» указывает – «живописец». Свидетелями его благонамеренности выступают двое художников: Иван Калвер и Антонио Фуентес. 21 июня ходатайство Кастанеды удовлетворено.

Теперь он живет в меблированной квартире на углу Адамс-бульвара и Портленд-стрит. Большинство жильцов такие же студенты. Но Карлос среди них выглядит ветераном. Двух его близких друзей зовут Байрон Деор и Брюс Бебб. Первый учится на психолога, он родом из Коста-Рики и, похоже, интересуется юношами. Второй работает на заводе, но собирается стать писателем. Брюс Бебб вспоминает, как им было весело вместе. Карлос без конца выдумывал себе новую биографию. Он часто рассказывал о своей службе в «спецвойсках». А также гордился «дядюшкой» Освальдо Аранхой, который как раз баллотировался на пост президента Бразилии. Еще он якобы оставил в Бразилии жену-наркоманку и маленькую дочь. Карлос вечно торопится, энергия в нем так и клокочет. Брюс Бебб отчетливо помнит: Кастанеда подолгу занимался медитацией. Кроме того, он пытался контролировать свой сон и часто просил Брюса будить его на заре.

Соседи часто меняются. По словам Маргарет Раньян, в тот период с ним жил некий Аллен Моррисон. В сборнике пикантных историй[1], достоверность которых проверить невозможно, актер Джон Гилмор, со своей стороны, упоминает Мэнни Сэмона и Джима Дэвидсона. Карлос снова назван сочинителем басен. Теперь он хвастается знакомством с «человеком-целителем», индейцем по имени Тонто. А еще утверждает, что является прямым потомком Фернандо Пессоа. Он вообще считает себя сверхчеловеком и частенько поет дифирамбы лжи. Правда, мол, существует только для того, кто в нее верит.

Не стоит удивляться столь разным воспоминаниям. Карлос часто переезжал и знакомился с разными людьми из вольной среды студентов без гроша в кармане.

А тем временем духовная пропасть между ним и Маргарет продолжает расти. Девушка, «алчущая света», как никогда раньше восторгается Невиллом Годдардом. В ее прозелитизме есть нечто угодническое. В 1957 году Годдард выдал новый лозунг «I Am»: Я Бог в

---

1 *Laid Bare*, Amok, Los Angeles, 1997.

человеке. Маргарет рьяно бросается проповедовать «слово Божие» на каждом углу «города ангелов».

Карлос не спешит увлекаться. Этот любознательный молодой человек больше интересуется немецкой философией, чем болтовней гуру. По отношению к Маргарет и ее крикливым собратьям он постоянно занимает позицию агностика. С другой стороны, Карлос продолжает «охоту» на женщин и сочиняет любовные стихи для преподавательницы ЛАКК.

Он открыто не доверяет Невиллу Годдарду и считает его одним из тех «придурков», которые только и делают, что дерут горло на пляже Венис. По правде сказать, «годдардизм» попахивает новой религией. Раз в неделю Годдард выступает по местному телевидению в мистическом шоу. Его последователям вменяется в обязанность сбывать книги, изданные за счет автора.

Эпоха хиппи еще не наступила. Но в середине пятидесятых годов Калифорния уже становится Меккой любого рода эксцентрики. Паранормальные явления здесь в моде, о них повсюду читают лекции. Со всех концов съезжаются пророки, мессии, гуру.

По-настоящему модный автор в этот период Дж.Б. Райн. Этот обезумевший ботаник, пользуясь эпидемией всеобщего мистицизма, строчит популярные книжки. В основном его интересуют возможности человеческого мозга, и на эту тему он выпускает бестселлеры с трескучими названиями: «Новые границы разума» в 1937 году и «Новый мир разума» в 1953-м. В 1964 году Райн изобретет знаменитый термин *Extra Sensory Perception,* что означает «экстрасенсорные способности», телепатию. Это обозначение станет широко популярным в виде таинственной аббревиатуры ESP.

Увлечение Райном происходит параллельно с увлечением научной фантастикой, 1956–1957 годы отмечены массовым выходом фильмов о космосе (сегодня уже немного старомодных) и частым «появлением» летающих тарелок.

Карлос Кастанеда наконец поддается искушению. Он узнает о Райне и увлекается неслыханными возможностями человеческого мозга. Ради развлечения он проводит эксперименты с игральными картами – пытается вслепую угадать масть и название перевернутой карты. Этим он занимается по вечерам в Северном Нью-Гемпшире, в квартире, которую только что снял.

В 1956 году ему в руки попадает роман Олдоса Хаксли «Двери восприятия», на долгие годы ставший его настольной книгой.

В сложном и трудном для восприятия произведении Хаксли восхваляет некую «природную религию», основанную на личном опыте. Читатель с волнением узнает, что писатель ради научного эксперимента испробовал на себе свойства некоторых наркотиков, которые изменили его взгляд на мир. Исходя из этого опыта, автор развивает мистико-синкретическую философию, заимствованную в основном из христианства, буддизма и индуизма. Карлос в восторге от книг Олдоса Хаксли, считая их более достойными доверия, чем одноразовое чтиво Райна. Помимо прочего Хаксли изучает культ пейота – дерзкую смесь христианства и анимизма аборигенов.

«Двери восприятия» произвели на Карлоса столь сильное впечатление, что он решает посвятить Хаксли доклад по английскому языку. Это задание он выполняет в декабре 1957 года и просит одну из своих подружек, Дженни Лавири, отпечатать его.

Он впервые изучает действие пейота, подчеркивая мистические видения, производимые этим наркотиком. Таким образом, в 1957 году Олдос Хаксли становится для Карлоса Кастанеды источником вдохновения.

Его отношения с Маргарет, основанные теперь не только на взаимном влечении, но и на общих интеллектуальных интересах, становятся прочнее. По наущению Карлоса, поклонница Годдарда поступает в ЛАКК в январе 1958 года. Там она изучает русский язык и историю религий. В этот период Карлос как никогда раньше увлекается русским кино. Новый лидер советского государства Никита Хрущев вызывает его горячее восхищение.

Карлос, Маргарет, Байрон Деор и их друзья собираются вместе по вечерам и спорят до рассвета. Чаще всего это споры о духовном. Карлос в дискуссии не вступает, ограничивается вопросами. Такова его манера вести себя. Он предельно спокоен и уравновешен.

В любом случае, хитросплетения веры интересуют его меньше, чем возможности человеческого мозга. По натуре он не верующий, а экспериментатор.

На заре шестидесятых годов у всех на устах имена Джека Керуака, Аллена Гинсберга, Гэри Снайдера, Лоуренса Ферлингетти, Клода Пельё, Боба Кауфманна, Уильяма Берроуза. Карлос интересуется поэзией и часто слушает стихи по вечерам в некоторых кафе.

Но битники не привлекают его. Он предпочитает перуанского поэта Сесара Вальехо или Сан-Хуана де ла Крус. Годы спустя в его книгах обнаружится след этих былых увлечений.

В 1974 году эпиграфом к «Сказкам о силе» послужит стихотворение Сан-Хуана де ла Крус.

Позднее, в 1981 году, Кастанеда вставит в роман «Дар орла» стихи Сесара Вальехо.

Если вдохновляет Карлоса экспериментальный мистицизм Хаксли, то питает его прежде всего латиноамериканская поэзия.

В 1958 году он увлеченно читает «О природе вещей» Лукреция. В этой потрясающей философской поэме Лукреций детально излагает мысли Эпикура.

В колледже Карлос проявляет себя способным студентом. Вернон Кинг преподает «литературное мастерство». Он обращает внимание, что Карлос ежедневно фонтанирует потрясающими историями. Почему бы не высказать их на бумаге? Вернон Кинг подбадривает студента и помогает ему. За одно из сочинений Карлос получает премию. Его печатают в газете «The Collegian» за подписью: Карлос Кастанеда. Брюс Бебб читал этот давнишний рассказ и помнит, что сюжет был захватывающий. Молодой поэт рассказывает о «странном шамане ночи»...

В 1958 году Карлос Арана-Кастанеда-*Аранха* вынужден столкнуться с реальностью. У него нет богатого дядюшки, который бы его поддерживал. Вполне возможно, что отец или дед посылают ему какие-то деньги. И все-таки он вынужден искать работу. В романе «Активная сторона бесконечности» он сочиняет, выдумывает и дает волю воображению, но порой говорит и правду, например, рассказывает о временной работе: «Я решил ненадолго прервать учебу в университете и поступил в художественный отдел предприятия, производившего переводные картинки».

Верится в это с трудом. Разве на такую фабрику берут «художников», чтобы они дни напролет выдумывали картинки, которым суждено закончить свой век на запястье ребенка? «Я подружился с начальником художественного отдела, который в каком-то смысле взял меня под свое крыло. Его звали Эрнест Липтон. Он мне нравился, и я глубоко его уважал».

Быть может, Кастанеда неизвестный автор каких-нибудь знаменитых переводных картинок? Как бы там ни было, в 1958 году он нанимается в компанию игрушек

«Маттел», чьи офисы располагаются на Розенкранц-авеню, округ Хоторн.

В декабре 1958 года Карлос переезжает в небольшой домик на Чероки-авеню, в Голливуде. Как обычно, у него нет ни телевизора, ни радио, ни телефона. Дом на Чероки-авеню совсем рядом с квартирой Маргарет Раньян. Они видятся ежедневно.

Невилл Годдард часто собирает свою паству в театре «Уилшир Эбелл». Маргарет не пропускает ни одного явления «учителя». Но Карлос упрямо отказывается ее сопровождать. Примитивному кредо «искателей света» он противопоставляет чтение «Братьев Карамазовых». Для него Достоевский гораздо более благодатный источник, нежели листовки, которые распространяют на стоянке у торгового центра.

В начале 1959 года Маргарет переезжает к Карлосу. Заживут ли они теперь семьей? Ничуть не бывало. Через месяц Маргарет пакует чемоданы и ретируется.

Карлос пока еще посвящает себя скульптуре и живописи. Однако теперь долгие часы проводит и с пером в руке, обнаруживая в себе фантастическую работоспособность. Он может писать где угодно: на автобусной остановке, в кафе, в перерыве между лекциями. У него всегда под рукой тетрадь.

Весной 1959 года он снова переезжает, на этот раз в «Мариетта аппартментс», напротив ЛАКК.

19 июня 1959 года ему вручают диплом об окончании учебы. Ради церемонии он наряжается в тогу и шляпу. Письмом сообщает радостную новость перуанским родственникам. Но летом снова сжигает мосты, словно желая навсегда перелистнуть страницу своей жизни в Андах. И вот он итальянец, бразилец, американец, потомок Освальдо Аранхи и Фернандо Пессоа. Отец и близкие больше никогда его не увидят.

ГЛАВА 3
1960–1968 гг.
ДОРОГА В ПУСТЫНЮ

СКОРОПАЛИТЕЛЬНЫЙ БРАК

В 1959 году Карлос Кастанеда поступает в Калифорнийский университет Лос-Анджелеса (УКЛА).

В 1968 году он публикует свою первую книгу «Учение дона Хуана: путь знания индейцев яки».

1959–1968 – в эти годы решается все. Карлос знакомится со странным доном Хуаном, исследует малые и грандиозные тайны и, наконец, создает уникальное произведение, граничащее с мистикой и поэзией.

Вначале поклонник Олдоса Хаксли почти не знаком с индейской культурой. Похоже, его вовсе не интересуют доколумбовые цивилизации. Об этом свидетельствуют книги, которые он читает. Разве не умудрился он «предать забвению» Кахамарку, выдумав себе новое, наполовину бразильское, наполовину итальянское, происхождение?

Карлос поступает в университет осенью 1959 года в солидном тридцатидвухлетнем возрасте. Запоздалый студент затрудняется с выбором карьеры. Какое-то время он подумывает стать преподавателем. По привычке он скрывает свой настоящий возраст.

Вначале он хотел стать психологом, но, в конце концов, выбирает антропологию. Обе дисциплины относятся в УКЛА к разделу социальных наук.

В декабре 1959 года Карлос поступает кассиром в «Хаггарти», роскошный магазин женской одежды на Уилшир-бульваре, в Голливуде.

Он по-прежнему сомневается и колеблется. Что ему понадобилось у янки? Может, в Перу удалось бы проторить более светлый путь? Что стало с молодым пылким и честолюбивым скульптором? Он всего лишь вечный студент, писатель без книг и простой кассир.

Его сложные отношения с Маргарет Раньян продолжаются. Она недавно переселилась в двухэтажную квартиру в доме 823 по улице Южного Детройта. Вместе с ней живет девушка по имени Сью Чайлдресс. Об этой личности следует рассказать особо. Мы знаем, что Карлос продолжает коллекционировать любовные победы и совершенно этого не скрывает. Однако Маргарет терзает смутная ревность. Она расспрашивает Карлоса о его многочисленных увлечениях, и он признается, что регулярно видится с некой Сью Чайлдресс.

Маргарет немедленно наводит справки и в адресной книге Лос-Анджелеса находит нужное имя. Долго не раздумывая, отчаявшаяся любовница набирает номер и знакомится с Сью Чайлдресс. Но, как оказалось, та и знать не знает никакого Карлоса. Просто его разозлил допрос, и он выдумал первое попавшееся имя.

А женщины между тем становятся подругами и даже решают снять одну квартиру. Таким образом, Сью Чайлдресс материализовалась и стала наперсницей Маргарет.

Карлос наблюдает за этим с улыбкой и удивлением. Вскоре он под присмотром Маргарет начинает давать Сью уроки испанского. У него хорошие способности к языкам. К концу жизни он будет владеть итальянским, португальским и даже иногда изъясняться на аргентинском диалекте Буэнос-Айреса.

Маргарет как никогда прежде увлечена паранормальными явлениями. Субботними вечерами она собирает друзей, и они перемывают косточки разным медиумам и целителям. Иногда она экспериментирует с состоянием транса и астральным проецированием. Карлос присутствует на этих вечеринках, но держится отстраненно. Однажды гости взялись предсказывать будущее. Чье предсказание окажется наиболее точным? Карлос тоже включился в игру. Он держится очень спокойно и сосредоточенно, зрители слушают, затаив дыхание. Однако ни одно из его пророчеств не сбудется.

Сексуальная свобода никому не по душе. Ревность вытесняет желание. Мало-помалу копятся взаимные обиды. Карлос взял в привычку являться к Маргарет, когда она проводит время с любовником. Он садится на диван и не уходит, раздражая своим присутствием.

В январе 1960 года в их напряженных и тягостных отношениях происходит перелом. Маргарет соглашается на свидание с арабским бизнесменом по имени Фарид Авеймрайн. Тот ведет ее в ресторан с восточной кухней, где ужинают, сидя на подушках, предварительно сняв обувь. По дороге обратно они встречают Карлоса. Фарид хорошо воспитан. Он обращается к сопернику с изысканной вежливостью. Не зная об их отношениях, Фарид объясняет Карлосу, что он глубоко любит Маргарет и с самой первой встречи имеет намерение предложить ей руку и сердце.

К его великому удивлению, Карлос отвечает, что Маргарет не может выйти замуж ни за кого, кроме него. В таком случае, удивленно спрашивает Фарид, почему же этого до сих пор не случилось и почему Маргарет встречается с другими мужчинами? Вопрос не лишен здравого смысла. Побледнев, Карлос поворачивается к Маргарет и просит ее немедленно ехать с ним в Мексику, где они срочно поженятся. Фарид держится самым достойным образом и тактично удаляется со сцены.

Замечают ли Маргарет и Карлос его уход? Их ссора вспыхивает с новой силой. Наконец они садятся в черный «фольксваген» Карлоса и ночью едут в сторону границы. Эта ключевая сцена описана в книге Маргарет Раньян «Магическое путешествие с Карлосом Кастанедой» – автобиографическом произведении, вышедшем в 1977 году, где она подробно рассказывает о своей непростой жизни с писателем. Но стоит ли верить ей на слово?

27 января 1960 года Карлос *Аранха (sic)* Кастанеда действительно становится супругом Маргарет Эвелин Раньян после короткой административной процедуры, свершившейся под звуки старенького магнитофона в городе Тлакуилтенанго на юге Мексики. Сразу можно заметить, что выбор места плохо стыкуется с рассказом Маргарет. Тлакуилтенанго расположен примерно в двух тысячах пятистах километрах от Лос-Анджелеса. С трудом можно представить, как два голубка на крыльях любви преодолели подобное расстояние в «фольксвагене» за одну ночь. Не будет ли гораздо правдоподобнее предположить, что церемония свершилась на американо-мексиканской границе в окрестностях Тихуаны? Обстоятельства этого брака весьма туманны.

ПЕРВЫЕ ПОЕЗДКИ

Похоже, мексиканская свадьба способствовала сближению. Карлос переезжает к Маргарет, которая теперь работает в телефонной компании «Белл». Их жизнь становится почти «семейной».

Карлос всегда переживал из-за маленького роста и «латинской» внешности. В надежде примириться с собственным телом он посещает спортзал в Голливуде, которым заведует Джек Лалан.

В этот период Маргарет Раньян увлекается новой популяризаторской книгой, снискавшей на Западном Побережье огромный успех, – «Священный гриб», Андрии Пухарика. Поверхностное, бредовое произведение, в котором автор рассказывает о том, как он якобы встречался с голландским скульптором Гарри Стоуном. Тот сумел вспомнить свои предыдущие жизни, в частности, как был египтянином во времена фараонов и звали его Ра Хо Теп. По словам Пухарика, этими реминисценциями скульптор обязан галлюциногенному грибу *amanita muscaria.*

Пухарик делает несусветные выводы. Он утверждает, что между способностью сибирских шаманов «покидать свое тело» и состоянием транса, вызванным священными грибами, существует загадочная взаимосвязь. Он даже ссылается на греков. Разве они не употребляли дурманящие вещества?

Но книга прежде всего воспевает шаманов. Известно, что шаманство существует с давних времен в таких географически различных районах, как Сибирь и Перу. Для Пухарика этого достаточно, чтобы сделать вывод: шаманы владеют тайным искусством «пробуждать» прошлую память.

Карлос Кастанеда знакомится с книгой Андрии Пухарика зимой 1959/60 года. Что он думает о шаманах и их способности находиться в двух местах одновременно?

Пухарик много страниц посвящает американским индейцам. Быть может, именно из его книги в 1960 году Кастанеда впервые узнает о существовании магического гриба *psilocibe mexicana?*

Его все чаще не бывает дома. Может, у него снова появились любовницы? Он где-то пропадает целыми днями, а потом возвращается как ни в чем не бывало.

Свои отлучки Карлос объясняет новым учебным заданием. Начиная с осени 1959 года он посещает курс калифорнийской этнографии, который читает Клемент Мейган.

Мейган блестящий профессор, которого обожают студенты, а его лекции пользуются огромной популярностью. Чтобы его послушать, нужно покинуть аудиторию и последовать за ним на лоно природы.

Именно Клемент Мейган подал Карлосу Кастанеде идею отправиться в пустыню для изучения индейских традиций.

Экспансивный профессор каждый год заключал со студентами любопытное соглашение. Тот, кому повезет встретить настоящего индейца и взять у него интервью, получит высшую оценку. Мейган знает, что задача эта трудная. Большинство аборигенов отказываются разговаривать с белыми. С ними трудно вступить в контакт, но еще труднее расспросить об их духовной жизни. Клемент Мейган – специалист по шаманизму. Основное внимание он уделяет науке врачевания в анимистских верованиях индейцев. Занятия проходят на четвертом этаже Хейнесс-холла – здания из красного кирпича, расположенного в центре студенческого городка УКЛА, квартал Вествуд.

Карлос Кастанеда больше всего интересуется этноботаникой, к которой относится изучение священных грибов. Он погружается в книги Роберта Гордона Уоссона. А также изучает труды Уэстона Лабарра. Последний опубликовал в 1959 году книгу под заголовком «Культ пейота». Между дешевыми баснями Андрии Пухарика и истинными антропологами, которые смотрят на объект изучения с чисто научной точки зрения, целая пропасть.

На курсе Мейгана шестьдесят студентов. Весной 1960 года только троим из них удается встретиться с индейцами.

Первый знакомится с аборигеном в университетском городке. Они говорят о плохом обращении белых с индейцами.

Второй общается с индейцем на ранчо во Фресно и задает банальные вопросы о его повседневной жизни.

Третий счастливчик – Карлос. Он здорово отличился. Вначале познакомился с индейцем кагуилла в районе Палм-Спрингс. Затем расспросил целую группу индейцев, живших неподалеку от реки Колорадо.

Как примерный студент он то и дело забегает к Мейгану за советом и за тем, чтобы рассказать о своих ошеломительных успехах. В отличие от других студентов ему, по всей видимости, совершенно не составляет труда проникнуть в индейскую среду. Похоже, собеседники без конца сводят его с новыми и новыми лицами. Благодаря этому посредничеству он знакомится с человеком, который рассказывает ему о датуре.

Клемент Мейган живо интересуется успехами Карлоса Кастанеды и ни разу не усомнился в правдивости сведений своего ученика. «Его осведомитель знал очень много о датуре. Этот наркотик использовали в церемониях посвящения некоторые калифорнийские племена, но я и большинство антропологов считали, что он исчез сорок–пятьдесят лет назад», – с жаром рассказывает профессор.

Возможно ли, что датура до сих пор служит для тайных церемоний? Исследование Карлоса вызывает интерес ученых. Но говорит ли «лучший студент» всю правду?

Мейган решительно отметает всякие сомнения: «Насколько я знаю, эта история про датуру не была ранее опубликована. (...) Очевидно, он сумел добыть информацию, которую антропологам не удавалось получить прежде».

Кастанеда сдает курсовую работу весной 1960 года и получает высший балл. Отныне его судьба определена. Под руководством Клемента Мейгана он с жаром погружается в изучение этноботаники.

И все больше отдаляется от Маргарет. С января они все чаще ссорятся. Карлоса не бывает по целым дням. Куда он ходит и с кем? В июле 1960 года он снова переезжает в прежнюю квартиру. На черном «фольксвагене» перевозит книги латинской поэзии, скульптуры, биографии и пишущую машинку. Больше он не вернется.

В это время Карлос знакомится с молодой студенткой, которая работает в библиотеке УКЛА. Мэри Джоан Баркер становится подругой, а потом любовницей будущего писателя. «Джоани» совсем не похожа на индианку. Зато она все свое детство провела в маленьком городке Баннинг, неподалеку от резервации Моронго. Вскоре после знакомства Джоан приглашает Карлоса съездить туда. Через тридцать лет Кастанеда представит ее своим последователям как «первую ученицу дона Хуана»...

АВТОСТАНЦИЯ ГДЕ-ТО В АРИЗОНЕ

Реальность и вымысел смешиваются все больше, чтобы вернее сбить нас с толку. Первая книга Карлоса Кастанеды, изданная в 1968 году, начинается загадочной фразой: «Я изучал антропологию в Калифорнийском университете в Лос-Анджелесе и летом 1960 года совершил несколько поездок по юго-западу Соединенных Штатов, чтобы собрать сведения о целебных травах, используемых местными индейцами».

Эти слова выглядят как подробный пересказ пережитых событий: «Ожидая автобус в приграничном городке, я беседовал с приятелем – моим проводником и помощником».

Похоже, упомянутый приграничный городок находился между Аризоной и Мексикой. Почему же Кастанеда ждет автобуса, если обычно он путешествовал на своем черном «фольксвагене»? И кто этот таинственный друг-помощник?

Во второй книге, «Отдельная реальность» (1971), он заново пересказывает ту же сцену, но уже более детально: «Я спокойно сидел вместе с моим приятелем Биллом в зале ожидания на автостанции одного городка в штате Аризона недалеко от мексиканской границы. Мы молчали. Было лето, и после полудня стояла невыносимая жара».

Итак, мы узнаем, что приятеля зовут Билл. Однако Маргарет Раньян ясно заявляет: «В 1960 году среди знакомых Карлоса не было ни одного Билла».

В 1998 году он снова упоминает Билла в последней книге «Активная сторона бесконечности», где называет его местным антропологом, специалистом по индейскому шаманизму. Кастанеда возвращается к знаменитой встрече, которая якобы состоялась после одной неудачной поездки: «Когда наша поездка закончилась, Билл отвез меня на автобусную станцию в Ногалес, штат Аризона. Оттуда мне предстояло вернуться в Лос-Анджелес. Мы сидели в зале ожидания, и он по-отечески утешал меня, говоря, что в полевой работе антрополога неудачи неизбежны, но они приближают ученого к цели или помогают ему созреть».

Кастанеда противоречит самому себе. В «Отдельной реальности» он описывал эту сцену без каких-либо бесед. Теперь же Билл стал на удивление словоохотлив.

В книге «Учение дона Хуана» Билл, у которого пока нет имени, играет другую роль: «Внезапно он наклонился ко мне и прошептал на ухо, что старый седой индеец у окна – большой знаток трав, в особенности пейота».

Американский приятель ведет себя очень странно: «Он помахал ему и подошел поздороваться. Они поговорили, приятель знаком подозвал меня, а потом оставил нас со стариком, даже не назвав моего имени».

Можно представить себе замешательство Карлоса. Но индеец расположил его к себе: «Он совершенно не был удивлен. Я представился, а он ответил, что его зовут Хуан и что он к моим услугам».

Каковы бы ни были обстоятельства этой решающей встречи, она положит начало литературному произведению, которое долгие годы будет выдаваться за антропологический труд.

Героя кастанедовских книг зовут дон Хуан. Он является проводником, поэтом и философом. Подобно тому, как Платон заново переписывает слова Сократа, Карлос конспектирует учение дона Хуана.

Но существует ли на самом деле этот индейский мудрец? Этот ключевой вопрос заслуживает более глубокого исследования.

На протяжении долгого повествования и повторений, Кастанеда поведает кое-что из его биографии.

Дон Хуан родился где-то на юго-западе Соединенных Штатов в 1891 году. В возрасте восьми лет он со своей семьей поселился в Центральной Мексике. Мексиканские солдаты неизвестно за что пытали и убили его мать. Самого дона Хуана депортировали на юг страны. Отец, которого солдаты ранили, умер во время переезда на поезде. Таким образом, дон Хуан вырос и всю жизнь прожил на юге Мексики. В 1940 году он снова перешел границу.

Как подчеркивает Клемент Мейган: «Одна из проблем, связанных с доном Хуаном, и одна из причин критики его знаний в том, что он сам по себе уникален. Его родители не принадлежали ни к одному племенному сообществу, он жил то среди калифорнийских индейцев, то среди мексиканских. Его нельзя назвать настоящим яки».

Но каким должен быть «настоящий» яки? Изначально это племя селилось по берегам реки Яки, протекающей в Мексике рядом с пустыней Сонора, однако народ яки постоянно угнетали, завоевывали, изгоняли и переселяли испанцы, французы и мексиканцы... Поэтому образ «новоявленного» индейца исторически вполне логичен и сразу приобретает некоторую достоверность.

Карлос и Маргарет отправляются в Мексику в сентябре 1960 года и официально разводятся в присутствии того же чиновника, который в январе сочетал их браком.

Сложные отношения бывших супругов на этом не заканчиваются.

Осенью Карлос и Маргарет знакомятся с жизнерадостным, атлетически сложенным блондином и мормоном по имени Адриан Герритсен. То, что происходит потом, требует подтверждения. В книге «Магическое путешествие с Карлосом Кастанедой» Маргарет Раньян утверждает, что она влюбилась в Адриана. Однако сам Герритсен выдвигает другую версию. В 1960 году Карлос будто бы попросил его помочь Маргарет зачать ребенка. Карлос, Маргарет и Адриан договорились об этом осенью за ужином в ресторане «Звезда Индии» в Голливуде. Подобное утверждение сразу вызывает сомнение. Какого дьявола Карлосу просить об этом другого мужчину? В автобиографической книге о своей «колдовской» связи с Карлосом Кастанедой «Ученица колдуна. Моя жизнь с Карлосом Кастанедой» Эми Уоллес в 2003 году освещает эту сцену под новым углом, рассказав, что у Карлоса была операция вазэктомии. Поведение Кастанеды сразу становится понятным. По крайней мере, ясна сложность его отношений с Маргарет. Они только что развелись, но Карлос ищет донора, чтобы оплодотворить бывшую супругу.

ЛЕСТНИЦА ИАКОВА

В книге «Учение дона Хуана» Кастанеда пишет, что обучение началось в пятницу 23 июня 1961 года. А Маргарет Раньян утверждает, что поездки в пустыню начались в середине декабря 1960 года. Противоречия в этом нет.

Можно представить, что во время первых встреч Карлос называет себя антропологом и настаивает на научном характере своих исследований.

В июне 1961 года он становится посвященным. В книге «Отделенная реальность» он объясняет это превращение: «В 1961 году, через год после нашей встречи, дон Хуан открыл мне, что владеет тайным знанием о лекарственных растениях. Он назвал себя брухо, испанским словом, которое можно перевести «колдун», «знахарь», «лекарь». С этой минуты наши отношения изменились. Я стал его учеником».

Ученик или исследователь? Ученик... но все-таки исследователь.

Клемент Мейган его горячо поддерживает. В 1961 году профессор даже предполагает выпустить академическое издание.

В субботу 12 августа 1961 года Маргарет Раньян производит на свет маленького Карлтона Джереми, которого вскоре будут звать просто Си Джей. В свидетельстве о рождении, выданном пресвитерианской мемориальной больницей Голливуда указаны родители – Маргарет Эвелин Раньян, тридцати девяти лет, и Карлос *Аранха* Кастанеда, тридцати пяти лет.

Таким образом, слова Адриана Герритсена, похоже, подтвердились. Во всяком случае, Карлос Кастанеда является «законным» отцом Карлтона Джереми.

Теперь он проводит все выходные вдали от Лос-Анджелеса. По официальной версии – у дона Хуана.

Мэри Джоан Баркер остается его постоянной подругой.

За время своих исследований Карлос переживает сложный период. Он всегда жил скромно. Но теперь стал отцом чужого ребенка. Ему надо не только оплачивать свою учебу, но и содержать малыша, которого он любовно называет Чочо.

Начиная с 1963 года Карлос все время подрабатывает. Он работает кассиром в магазине религиозных принадлежностей и даже становится таксистом в Лос-Анджелесе. Для такой работы нужно хорошо знать город. Но Кастанеда обожает «город ангелов»: «В Лос-Анджелесе я всегда чувствовал себя дома», – говорит он в «Активной стороне бесконечности». «Моя любовь к этому городу всегда была так велика, что составляла часть меня самого, так что я никогда не испытывал желания высказать это вслух».

Карлос, без сомнения, непостоянный отец. Он живет с Маргарет врозь, их отношения полны взаимных обид, и он уделяет ребенку мало времени. Однако он нежно привязан к малышу, о чем свидетельствует отрывок из «Отдельной реальности»: «Я знал, в чем заключалась сложность моей жизни. В ребенке. Стать ему полноценным отцом – было моим заветным желанием, превосходящим все остальное. Я с радостью представлял, как буду воспитывать его, водить на прогулки, учить «как жить», и в то же время я ни в коем случае не желал привить ему собственный образ жизни (...)».

Стал ли он адептом дона Хуана?

В 1963 году его взгляд на события остается вполне научным. Он сотрудничает с Майклом Харнером, который изучает антропологию в «Беркли» и преподает в УКЛА.

В июле 1963 года Карлос проводит с доном Хуаном интересный эксперимент, натирает тело дурманом. Под воздействием этого растения он совершенно голый бегает по пустыне. Почва внезапно начинает пружинить и подбрасывает его в небо.

Этот опыт очень заинтересовал Майкла Харнера. В 1961 году он сам натерся некой субстанцией, называемой *аяхуаска*, в компании индейца племени конибо на востоке Перу. Несмотря на географическую удаленность, яки и конибо, похоже, имели одинаковую систему понятий.

Перспектива, описанная Харнером, очаровала Карлоса. Разве дон Хуан не такой же носитель универсального видения? Разве нельзя уподобить его кочевнику, бесстрастно переходящему из одного племени в другое?

Майкл Харнер не единственный источник, из которого он черпает знания.

Учение дона Хуана приближается к феноменологии. Оно прежде всего основано на «показе», на постепенном раскрытии тайны. Карлос посещает лекции последователя Эдмунда Гуссерля по имени Гарольд Гарфинкел. Гарфинкел, в частности, интересуется «согласованностью», которая окружает реальность. Когда десять человек говорят, что видели летающую тарелку, в ее существовании перестают сомневаться. Но действительно ли неопознанный летающий объект появлялся над городом? Реальность часто определяется одинаковыми социальными установками.

Поясняя видения Карлоса, дон Хуан настаивает на одном – это не было галлюцинацией. Он называет подобные видения измененной реальностью. У реальности существует много ступеней. На первой ступени стоит эмпирическая реальность. Под руководством дона Хуана и с помощью наркотиков Кастанеда поднимается вверх по лестнице Иакова.

Благодаря Гарольду Гарфинкелу Карлос Кастанеда открывает Эдмунда Гуссерля и увлекается его трудами. По словам Маргарет Раньян, он даже читает дону Хуану отрывки из Гуссерля. А один бывший ученик Гуссерля дарит ему кусок черного дерева, который когда-то принадлежал мэтру. Карлос передарил его на «потлач»[1] своему индейскому учителю, видя в доне Хуане достойного продолжателя дела Гуссерля. Старик долго гладил дерево, а потом положил его в коробку к «предметам силы».

Обнаружил ли Кастанеда в феноменологии философское подтверждение учения дона Хуана? Или, быть может, учение дона Хуана подтвердило слова Гуссерля? Так или иначе, чтение Гуссерля внесло свой вклад в окончательное создание образа вымышленного индейца.

Гарольд Гарфинкел крайне суров. После первого употребления пейота в августе 1961 года Кастанеда составил анализ своих видений. Гарфинкел безжалостно раскритиковал текст: «Я не нуждаюсь в *объяснениях*. Предоставь мне голые, подробные факты, такими, какие они есть. Богатство подробностей – вот главное».

Под влиянием отца этнометодологии Кастанеда читает не только Гуссерля. На его столе лежат книги социолога Талкотта Парсона, не говоря уже о Людвиге Виттгенштейне.

Итак, в будни Карлос читает Гуссерля, а по выходным курит запрещенные наркотики под присмотром индейца яки? Именно такую картину отныне рисует Кастанеда своим товарищам по университету...

---

[1] Потлач – празднество с раздачей подарков у американских индейцев.

ПСИХОДЕЛИЧЕСКИЙ БРЕД

В то время как наш герой наслаждается обществом необычного таинственного друга, новое поколение писателей проповедует духовное раскрепощение. Чего стоят Дж.Б. Райн, Невилл Годдард и Андрия Пухарик по сравнению с Аланом Уоттсом, чье произведение вызвало настоящий фурор? В книге «Это и то», опубликованной в 1958 году, Уоттс рассматривает виды измененной реальности. По его словам, они помогают достичь космического сознания: «В духовном, интеллектуальном и поэтическом опыте человека самым удивительным для меня всегда были эти поразительные моменты ясности сознания, которые Ричард Бук назвал «космическим сознанием».

Когда на альтернативной сцене появляется Тимоти Лири, Карлос проявляет к нему интерес. Профессор Гарвардского университета, Тимоти Лири, – совершенно особый случай. В 1963 году этот ученый муж организует вместе с Ричардом Элпертом «революционное» движение «Международная федерация за внутреннюю свободу» – ИФ-ИФ. Речь идет о распространении нового наркотика, синтезированного промышленным способом в лабораториях корпорации «Сандоз», – диэтиламид лизергиновой кислоты – ЛСД.

Карлос Кастанеда начинает собирать все, что связано с Тимоти Лири. Между ними нельзя не отметить явного сходства. Карлос экспериментирует с различными веществами в строго научных рамках своих антропологических исследований. Что же касается Лири, он тоже считает себя исследователем.

Правда, его работа вызывает тревогу городских властей. Психоделический профессор раздает в Гарварде таблетки и открыто пропагандирует наркотики. В 1963 году ректор Натан Пьюзи добивается его изгнания из университета. Отныне Лири, Элперт и ИФ-ИФ вступают на путь, свободный от всяких угрызений совести.

Мятежники решают организовать в Мексике «учебный центр». По замыслу Тимоти Лири, необходимо было не только глотать запрещенные вещества, но и создавать лаборатории по их производству, чтобы поставить дело на поток. Изгнанники мечтают превратить Мексику в «психоделическую Швейцарию», в страну легального производства ЛСД.

ИФ-ИФ приобретает дом, расположенный в приморской деревушке Зихуатанехо. Исследователи превращают отель «Каталина» в пристанище психоделиков. Слава отеля «Каталина» вскоре пересекла границу, и убежище Лири становится модным местом паломничества «просвещенных» калифорнийцев. Годы спустя Каталина появится на страницах книг Кастанеды в образе ужасной колдуньи, чрезвычайно отталкивающего персонажа.

Ясным майским утром 1963 года уединение Лири было нарушено низкорослым брюнетом в темном костюме. Незнакомец с крайним почтением обратился к Лири со следующими словами: «Доктор Элперт, я так рад вас видеть! Моя фамилия Арана. Я журналист из Перу, приехал понаблюдать за вашей работой». По всей очевидности, незнакомец не кто иной, как Карлос Кастанеда, который только что ловко смешал правду и вымысел. Конечно, его фамилия Арана и родом он из Перу. Но он никогда не был журналистом и маловероятно, что прибыл из Лимы.

Он начинает нести страшную чепуху, спутав отца ЛСД с его правой рукой Ричардом Элнертом. Лири и без того надоедают посетители. А этот еще и лишен всякого такта. Он вежливо выпроваживает самозваного журналиста. Но Арана не унимается: «Доктор Элперт, умоляю, выслушайте меня! Мы с вами похожи, как братья-близнецы. Мой отец, как и ваш, президент железнодорожной компании в Перу. И потом я еврей, как и вы. Потрясающе, не правда ли?»

Отец Ричарда Элперта действительно руководит одной из крупных железнодорожных компаний США.

К Лири уже подбирались многие поклонники, готовые на все ради магической пилюли. И Карлос для него очередной докучливый посетитель, упрямый и неловкий в одно и то же время.

Несмотря на все усилия, «перуанскому журналисту» так и не удалось перейти порог отеля «Каталина». На следующее утро у служащего по имени Рафаэль хмурое лицо. Его тетка Тереза – знахарка. Прошлой ночью к ней явился латиноамериканец по фамилии Арана. Он представился профессором Калифорнийского университета, который проходил обучение с целью стать «воином», и утверждал, что ему мешает страшный североамериканский противник, который украл магическую силу у мексиканцев. Этого коварного узурпатора зовут Тимоти Лири... Арана предложил Терезе заключить магический союз, чтобы уничтожить колдуна янки психически. Знахарка попыталась успокоить «профессора», уверяя, что, по ее мнению, Лири славный человек и совсем не опасен.

Несколько часов спустя Арана, сияя улыбкой, вновь появился в отеле «Каталина». Его сопровождала девушка по имени Линда. На этот раз он представился «воином», занимающимся колдовством, и выразил сожаление, что спутал Элперта с Лири. В подтверждение своих добрых намерений он вручает Лири две церковные свечки и кожаный мешочек. Для чего нужны эти неожиданные подарки? Арана объясняет, что принес их в дар от знаменитой *курандеры* Марии Сабины. Не давая вставить слово, он объясняет, что Мария Сабина на самом деле вовсе не знахарка, потому что, как и он, вступила на путь знания.

В конце концов, Карлос Арана предлагает заключить договор. Он хочет обучаться у профессора из Гарварда, а взамен готов открыть ему путь воина. Это предложение разоблачает его. Становится ясно, что в 1963 году видение мира Карлоса уже такое, каким будет описано много лет спустя в его книгах.

Эти слова не произвели на Лири впечатления. Он остался непреклонен и снова выставил Карлоса: «Мне очень жаль, но я не могу позволить вам остаться. На летнее обучение записываются в Бостоне». Возможно, Лири обратил внимание, что Мария Сабина была знахаркой и использовала галлюциногенные грибы, о которых говорил Роберт Гордон Уоссон в 1957 году в сенсационной статье журнала «Лайф».

Как бы там ни было и как бы мы ни относились к выдумкам Карлоса, мексиканская мечта Лири продержалась недолго. 13 июня 1963 года местная полиция окружила «центр». Двадцать выходцев из США были арестованы и депортированы из страны.

Благодаря материальной помощи богатого поклонника, Уильяма Хичкока, неутомимый пропагандист запрещенных наркотиков Лири вскоре переселяется в обширное поместье в Миллбруке, штат Нью-Йорк, к северо-востоку от Пафкипси. На обломках ИФ-ИФ, вне стен университета, он продолжает борьбу за «демократизацию» запрещенных субстанций.

ВЕЛИКОЕ ОГОРЧЕНИЕ

В сентябре 1964 года маленький Карлтон Джереми поступает в начальную школу. Его определили в престижное и дорогое частное заведение Монтессори в Санта-Монике. Карлос из кожи вон лезет, чтобы обеспечить ребенка.

Вскоре с деньгами становится так туго, что он вынужден бросить УКЛА в разгар учебного года.

Но Карлос не теряет связи с университетом. Он посещает лекции Клемента Мейгана в качестве вольнослушателя. Движение хиппи в самом разгаре. В эти времена господства антикультуры главными словами становятся «drop out» (брось все). Хиппи должны бросить прошлую жизнь и отправиться в странствие. Догадывается ли Мейган, что Карлос подхватил эту заразу, пополнив растущие ряды «странников»? Профессор и студент договорились, что, по окончании исследований, Кастанеда представит отчет. Но теперь Мейган сомневается, будет ли работа завершена – уж очень она затянулась. Многие студенты любят пускать пыль в глаза профессорам. Делают вид, будто заняты научным трудом и серьезными исследованиями, а как до дела дойдет, так в кусты. Может, Карлос всего лишь пустой хвастун?

В эти трудные годы студент, оторванный от университета, мучается сомнениями. Разве ему уже не стукнуло тридцать восемь?

Он продолжает бывать у Маргарет, а в 1965 году пускается в любопытную авантюру. Его бывшая супруга работает в телефонной компании. Одна из ее коллег решает написать книгу о своем опыте операционистки в компании «Белл». Карлосу нравится молодая женщина, и он решает ей помочь. Вместе с Альбертой Гринфилд он редактирует рукопись под заголовком «Весь мир звучит странно, не правда ли?». Но каковы истинные отношения Альберты и Карлоса? Похоже, девушка становится близким другом своего соавтора. Она рассказывает, что он жадно читает Жан-Поля Сартра. А еще едет вместе с ним в Эсален. Однако книга так и не выйдет в свет, ни одно издательство не согласится ее опубликовать.

Карлос терпит неудачу за неудачей.

Неудавшийся скульптор, несостоявшийся художник, незрелый писатель, никому не нужный студент... Ему далеко за тридцать, а неудачи сменяют одна другую.

Но он цепляется за литературу, как за спасательный круг. Ему необходимо воплотить то, чем он дышит. Он во что бы то ни стало должен закончить отчет и дать его прочесть Мейгану.

Осенью 1965 года Кастанеда совершенно обескровлен. Он лишился всего: живописи, скульптуры, учебы. Осталась пустыня и его хитрости.

Весной 1966 года Маргарет Раньян наносит последний удар. Она внезапно покидает Лос-Анджелес и до наступления лета вместе с Карлтоном Джереми переезжает в Вашингтон, где нашла новое место. По собственному признанию, она хочет положить конец этим тягостным отношениям.

Отъезд Маргарет становится самой мрачной вехой в череде горестей. В нем также можно увидеть знак грядущего возрождения. Теперь Карлос один в Лос-Анджелесе, он предоставлен самому себе. Перед ним чистый лист. Ему нужно воссоздать себя заново. В его жизни остался лишь загадочный дон Хуан. И несколько женщин.

В КОНЦЕ ДОЛГОГО ПУТИ

В 1966 году Карлос Кастанеда показывает Гарольду Гарфинкелу первый вариант своей диссертации. Как водится, преподаватель подвергает ее строгой критике.

Карлос принимается за работу и через несколько месяцев приносит новую версию. На этот раз Гарфинкел заинтересован, пытается связаться с Карлосом, но того уже нет в студенческих списках. В университете он появляется, когда ему заблагорассудится. Потерпев неудачу, Гарольд Гарфинкел отправляет рукопись Клементу Мейгану. Оба единодушно объявляют работу превосходной. По их мнению, книга достойна публикации.

Клемент Мейган считает, что эту работу стоит отнести не к научной, антропологической серии, а скорее в разряд общей литературы.

В конце концов, оба профессора берут блестящего ученика под опеку. Они советуют ему показать рукопись Издательству Калифорнийского университета. Между тем текст переходит из рук в руки.

Уильям Брайт и Педро Карраско отнеслись к проекту с большим энтузиазмом и поддержали его. Зато Роберт Эдгертон высказал множество замечаний.

Мейган и Гарфинкел становятся настоящими крестными отцами первой книги Карлоса Кастанеды. Один из друзей Мейгана, Джим Квебек, работает в Издательстве Калифорнийского университета. Он тоже антрополог и всецело содействует публикации.

Однако книга вызывает много вопросов. Долгие недели редакционные советы ломают себе головы. В какой серии выпустить подобное произведение? Агенты по сбыту, которым предстоит «продать» книгу магазинам, высказываются сдержанно. По их словам, маловероятно, что она заинтересует широкую публику.

Рукопись передают Уильяму Голдшмидту, члену редакционного совета Издательства Калифорнийского университета, чье мнение является решающим. В это же время член совета, Уильям Брайт, нанимает Ф.А. Гилфорда «пересмотреть» текст и исправить ошибки.

Брайт горячий сторонник Кастанеды, как и Этли Арнольд. В целом кафедра антропологии единодушна в своем мнении и поддерживает публикацию.

Но учебный 1965/66 год заканчивается, а решение так и не вынесено. Столь крайняя нерешительность не может не обратить на себя внимание. То ли сюжет книги вызывает опасения, то ли кое-кто из читателей сомневается в правдивости изложенных фактов? Ожидание затягивается, академические издатели словно боятся дать делу ход. Для бывшего студента это бесконечное хождение по кабинетам и ожидание – смерти подобно.

Весной 1967 года жизнь по-прежнему беспросветна. Но Карлос уже достаточно сблизился с Мейганом и Гарфинкелом, чтобы просить их об услуге. Нельзя ли ему сдать экзамены, которые он пропустил, и восстановиться на прежнем курсе? Оба профессора помогают ему снова попасть в университет в текущем году.

Между тем рукопись продолжает вызывать противоречивые отклики. Среди читателей есть «горячие сторонники» и есть «сомневающиеся». Последние сеют смуту. Не «улучшил» ли студент по собственной инициативе некоторые выражения дона Хуана? Существует ли индеец на самом деле? Или уж совсем резко: «Не пытается ли Кастанеда выдать за антропологическое исследование обыкновенный роман?» Среди тех, кто сомневается в научности рукописи, – профессор Ральф Л. Билс. Он желал бы ознакомиться с записями, сделанными Кастанедой во время его встреч с доном Хуаном. Он просит показать их ему. Но Карлос так никогда и не представит свои записи. Впрочем, Билс позволяет «горячим сторонникам» обмануть себя и противостоит возможной публикации довольно вяло.

Между разглагольствованиями и проволочками время тянется бесконечно. Устав от борьбы, Карлос относит рукопись в другие издательства. В том числе в «Гроув-Пресс».

В это смутное время он, против всяких ожиданий, сближается с писательницей, казалось бы совершенно противоположной ему по духу. Его дружба с Анаис Нин станет достоянием гласности только 25 января 1973 года, когда Рональд Сакеник опубликует в «Вилледж войс» длинное исследование о спорах и сомнениях, вызванных произведением Кастанеды. Вот что он пишет: «Именно Анаис Нин помогла Кастанеде опубликовать «Учение дона Хуана», когда у него были трудности с издателями».

Сыграла ли Нин какую-то роль в публикации книги Карлоса? В ее «Дневнике» есть ответ на этот вопрос. Она знакомится с Кастанедой приблизительно в 1967 году. Ей рассказывают о писателе, который не может опубликовать рукопись из-за увиливаний Издательства Калифорнийского университета. Она сообщает о нем своему агенту Гюнтеру Штульманну. И только тогда университетское издательство наконец решается на публикацию.

Что касается ее личных отношений с Карлосом, писательница немногословна. Она вспоминает один обед, который состоялся зимой 1968/69 года. Карлос Кастанеда навестил Анаис Нин в квартале «Силвер лейк» в компании с Диной Метзгер, давней подругой Нин. Журналистка и феминистка, она вместе с Артуром Кункином основала одну из главных подпольных газет Калифорнии «Лос Анджелес фри пресс». Между Анаис и Карлосом проскочила искра: «Он был обворожителен, смесь дикаря и ученого. Антрополог. От индейских корней отрекается. Похож на психа с раздвоением личости».

Когда Рональд Сакеник поведет свое расследование в «Вилледж войс», ему удастся встретиться с Кастанедой только через Анаис Нин, беседа состоится дома у бывшей подруги Генри Миллера. Как с полным правом подчеркивает Рональд Сакеник, «то, что эта встреча состоялась благодаря Анаис Нин, имеет большое значение. (...) Именно Анаис Нин, как никто из известных мне писателей, долгие годы, подобно дону Хуану, подчеркивала связь между сновидением и реальностью. Ее теория вымысла как управляемого сна была противопоставлена словам дона Хуана об управлении нашими собственными снами. Разве не интересно узнать, на чем все основано?»

Но существует ли основа? Чем работа Карлоса могла заинтересовать писательницу эротических рассказов? Поселившись в Калифорнии в пятидесятые годы, автор «Дома инцеста» сблизилась с Олдосом Хаксли, к которому испытывала смешанное чувство восхищения и антипатии. Анаис Нин интересуется наркотиками и употребляет ЛСД в придачу к сеансам у психоаналитика. Она очень дружна с Бетти Эйснер, одной из ближайших коллег Хаксли. Позже знакомится с Тимоти Лири и Ричардом Элпертом, который в 1967 году сменит имя и станет называться гуру Баба Рам Дасс.

Своим интересом к Карлосу она, скорее всего, обязана этим исканиям. В биографии «Эротика Анаис Нин» Ноэлль Райли Фитч затрагивает и другой аспект: «В ее «Дневнике», как и в отношениях с окружающими, раскрывается склонность к обольщению и лжи, этим же приемом она пользуется, чтобы поглотить и подчинить себе читателя. (...) Однако читатель, в конце концов, отдает себе отчет в ее выдумках».

Не напоминает ли вам это портрет Карлоса Кастанеды? Разве он не родное дитя лжи и искусства обольщения? Во время обеда с Диной Метзгер Анаис Нин была очарована характером «психа», как она его называла. Быть может, в нем она мимолетно увидела свое зеркальное отражение?

В сентябре 1967 года редакционный совет Издательства Калифорнийского университета наконец одобрил рукопись после окончательного длительного обсуждения. Клемент Мейган выступил самым пламенным защитником. Он не только отстаивал научную ценность книги, но и предрекал ей коммерческий успех. Разве книга об опытах с галлюциногенными грибами не привлечет внимание тысяч хиппи, которых полным-полно за стенами университетского городка?

Наконец, 23 сентября 1967 года, Кастанеда подписывает контракт. Для Карлоса это исключительное событие после столь долгого ожидания. Чтобы его отпраздновать, он тут же отправляется к... портному и покупает новый серый костюм.

В ноябре он едет в Нью-Йорк, потом в Вашингтон. Ему очень хочется повидать Карлтона Джереми.

Теперь большинство времени Карлос проводит в пустыне, но что он там делает? Действительно ли беседует со старым яки без роду и племени? Бывает он и в Мексике. В Оахаке живет человек, который на свой лад дополняет учение дона Хуана: дон Хенаро.

Мысль о предстоящей публикации будоражит. К Кастанеде проявляют интерес некоторые профессора из Нью-Йорка. Не желает ли он написать диссертацию в Колумбийском университете, где его прославленные труды встретят горячий прием?

Книга запущена в производство. Издателю хочется изобразить на обложке нечто психоделическое. В первом варианте это индеец с резкими чертами лица – картинка, вдохновленная фотографиями автора. Кастанеда категорически отвергает ее. Во второй версии буквы названия окружены зелеными ящерицами. Но Карлосу нужен респектабельный вид, а не броскость. В конечном итоге книга выходит в строгой бело-зеленой обложке под достаточно академичным названием «Учение дона Хуана: путь знания индейцев яки».

Долгожданное событие свершилось 27 июня 1968 года. Конец долгого пути положил начало повальному увлечению.

ГЛАВА 4
1968–1972 гг.
ПРОРОК В СЕРОМ КОСТЮМЕ

ТРАВА ДЬЯВОЛА,
ИЛИ НАШЕСТВИЕ СЮРРЕАЛИЗМА

Уничтожить привычные ориентиры. Такова цель книги, осмелившейся бросить вызов законам жанра. Роман, критическое эссе, исследовательский отчет или поэтический манифест? «(...) Отсутствие каких бы то ни было примечаний и абсолютная невозможность анализа ставят произведение на грань сюрреалистического наваждения с умопомешательством», – говорит Дэниел С. Ноэл на первых страницах критического эссе «Свет и тени Карлоса Кастанеды».

«Трава дьявола и маленький дымок»[1] представляется прежде всего «обычным» антропологическим исследованием. Его можно также принять за рассуждение на научную тему, которое, как и следует, делится на две главные части: феноменологическое описание встреч с доном Хуаном и последующий «структурный» анализ.

---

[1] Французский вариант названия романа К. Кастанеды «Учение дона Хуана: путь знания индейцев яки».

Оригинальное название – «Учение дона Хуана: путь знания индейцев яки» – свидетельствует о желании автора быть принятым всерьез. Карлос ни в коей мере не желает прослыть популистом вроде какого-нибудь Райна или Пухарика. В отличие от них он выступает как ученый.

На титульном листе красуются слова благодарности. Кроме Клемента Мейгана, Гарольда Гарфинкела, Уильяма Брайта и Педро Карраско, автор благодарит и Роберта Эдгертона, хотя тот высказался о рукописи более чем сдержанно. Кастанеда также выражает признательность Лоуренсу Уотсону и двум корректорам: Грейс Стимсон и Ф.А. Гилфорду.

Содержание состоит из рассказа и последующего эссе. Две цитаты, приведенные на форзаце, указывают на эту двойственность. Первая принадлежит Георгу Зиммелю[1] и свидетельствует прежде всего о стремлении автора подчеркнуть свою скромность: «В наших силах лишь попытаться установить начало и направление бесконечно долгого пути. Достижение упорядоченного и связного целого будет в лучшем случае иллюзией. Одинокий студент может достичь совершенства, только если благодаря личным усилиям передаст все, что был способен увидеть». Невозможно переоценить эту скромность, которой отличается и сама манера повествования Карлоса. Студент не строит из себя опытного эксперта, а сразу признает свою слабость, неспособность что-либо понять и влияние предрассудков.

Дон Хуан тоже не остался без внимания. Но его слова неизмеримо более загадочны: «Для меня существует только путь, у которого есть сердце, и все пути с сердцем. Именно по ним я иду, и главное для меня – дойти

---

[1] Зиммель Георг (1858–1918) – немецкий философ и социолог, предшественник социальной психологии. Автор «Философии денег».

до конца. И я иду вперед и смотрю, смотрю, пока не перехватит дыхание».

Этот замечательный отрывок звучит как манифест. Одним молниеносным мазком Карлос дает портрет персонажа. В его кочевнике из Аризоны есть что-то от Ницше, Гераклита, и может быть, от Рене Шара. Но откуда Кастанеда взял эту фразу? В книге нет именно таких слов. Правда, в одной из глав дон Хуан говорит, что дороге необходимо иметь сердце, но выражается это не столь поэтично. Может, Кастанеда выудил это из записей, скопившихся за долгие годы? Может, «улучшил» какой-то фрагмент? А может, просто все сочинил от начала и до конца?

Автор ведет речь от первого лица, используя, таким образом, жанр эго-романистики, замешанной на сновидениях. С первых страниц он переносит читателя на ту самую судьбоносную автостанцию в Аризоне, где в 1960 году состоялась встреча с доном Хуаном: «Сначала я относился к дону Хуану просто как к немного странному человеку, много знавшему о пейоте и отлично говорившему по-испански».

Однако перед нами не только колоритная фигура, но и некто особенный: «(...) Люди, с которыми он жил, рассказывали, что он обладает «секретным знанием», и что он *брухо*».

Брухо у американских индейцев означает «колдун». Кастанеда понимает это также как «целитель, знахарь». Если Хуан *брухо*, то он прежде всего кочевник, индивидуалист-одиночка, а его знание, внушающее смутные опасения, превосходит знания жителей племени.

«Я был знаком с доном Хуаном целый год, прежде чем вошел к нему в доверие», – продолжает Кастанеда. «Однажды он обмолвился, что обладает знаниями, которые преподал ему учитель, или «благодетель», как он сказал, направлявший его в учении. Дон Хуан в свою очередь выбрал в ученики меня. Он предупредил, что это потребует полной отдачи и что обучение будет долгим и трудным».

Учение дона Хуана длится с июня 1961 года по сентябрь 1965 года. «Обучение проходило сначала в Аризоне, затем в Соноре, потому что, пока я учился, дон Хуан вернулся в Мексику».

Студент часто бывает у своего учителя, и, в зависимости от обстоятельств, эти поездки длятся разное время: «Если подумать, мне кажется, у него ничего не вышло именно потому, что мое посвящение происходило таким образом, ведь при этом невозможна полная отдача, необходимая, чтобы стать магом».

Здесь следует взвесить каждое слово. По словам автора, из этой затеи *ничего не вышло*. Книга «Учение дона Хуана» рассказывает не о посвящении. В ней говорится о неудавшемся посвящении. Карлос не только не сумел стать учеником *брухо*, но по мере повествования понял, что его научный труд провалился.

Вместо того чтобы оставаться сторонним наблюдателем, он усваивает систему понятий своего объекта изучения. Он взволнован и не может стоять в стороне.

Чем объяснить такое фиаско? Кастанеда говорит, что виной всему неверный подход к обучению. Ему не надо было больше возвращаться в Лос-Анджелес. Он должен был погрузиться в иную реальность, забыть Маргарет, Карлтона Джереми, Мэри Джоан и других. Он потерпел неудачу, потому что не смог сжечь мосты, связывавшие его с прошлой жизнью.

Автор часто употребляет термин «посвящение», близкий традициям эзотерики. «Научный» рассказ, таким образом, окутан ореолом некой религиозности. Кастанеда спокойно и объективно описывает духовное перерождение, которое свершается с помощью растений: «В сентябре 1965 года я добровольно прервал обучение», – заключает он. 1965 год... Мрачный период, когда Карлос прерывает учебу и сомневается в правильности выбранного пути. Мы знаем, что он и тогда продолжает ездить в пустыню. Но в своей первой книге описывает лишь этот краткий период с 1961 по 1965 год.

В чем состояло прерванное посвящение?

Психотропные растения играют здесь главную роль: «В разных случаях дон Хуан отдельно использовал три галлюциногенных растения – пейот (*Lophophora williamsii*), дурман, или трава Джимсона (*Datura inoxia syn.D.meteloides*), и один гриб (возможно, *Psilocybe mexicana*)».

Самый первый вопрос, который Карлос Кастанеда задал 23 июня 1961 года, стоит того, чтобы его упомянуть: «Не могли бы вы рассказать мне про пейот, дон Хуан?»

Во время встреч с индейцем в пустыне наедине автор пробует различные растения, которые изменяют его сознание. Пейот открывает ему присутствие доброй силы *Мескалито.* Мескалито не ангел, не демон и не дух, вызванный магией. Он открывается только тому, кто научится его видеть: «Пейот – это растение, почка галлюциногенного кактуса», – объясняют Бернар Дюбан и Мишель Маргери в книге «Кастанеда. Прыжок в неведомое». «Мескалито – это «Бог», Советчик, живущий в растении, его дух и *настоящее* растение». Наркотик – всего лишь удобное временное средство, позволяющее достичь других уровней сознания: «Человек идет к знанию, словно отправляется на войну, в полном сознании, со страхом, уважением и твердой уверенностью».

Во время поиска иногда встречаются «союзники». Еще один термин, смысл которого отличается от привычного: «Союзник позволит вам увидеть и понять то, что ни один человек не мог бы объяснить».

Мало-помалу система проясняется. С одной стороны есть Мескалито, с другой – союзники. Их роль состоит в том, чтобы знакомить и разоблачать. Дурман, или трава дьявола, – это союзник.

Его нужно опасаться. Союзники могут помогать, а могут и уничтожить. Речь идет о силах, которые можно приручить лишь на короткое время.

Только не надо думать, что учение дона Хуана основано на майевтике[1]. Индеец совсем не похож на Сократа. Он скорее экскурсовод. Кастанеда на свой страх и риск ступил на незнакомую территорию, как об этом свидетельствует встреча с Мескалито: «У меня начались сильные судороги и за несколько мгновений вокруг меня образовался низкий и узкий туннель, твердый и очень холодный. На ощупь он напоминал листовую жесть. Я сидел на земле. Попробовал встать, но моя голова ударилась о металлический потолок, туннель стал сжиматься, он душил меня».

Описания транса занимают долгие страницы и делают книгу захватывающей. Они, однако, прерываются поучениями дона Хуана, во время которых индеец ведет себя как духовный наставник. Например, он определяет четырех врагов человека знания: страх, ясность, власть и старость. Эти силы являются в буквальном смысле ослепляющими.

Растения силы вовсе не вызывают галлюцинаций, а «открывают истинную сущность вещей». Необходимо достичь более глубокой реальности, чем та, что подвластна чувствам: «Сумерки – это трещина между мирами». Нужно искать сумерки, которые служат дверью.

---

1 Майевтика – сократовский метод стимулирования мышления и установления истины.

Попробовав дурмана, Кастанеда почувствовал, что летит: «Я парил в темном небе, пролетал рядом с облаками. Изогнувшись, чтобы посмотреть вниз, я увидел темневшую подо мной горную цепь. Я летел с головокружительной скоростью, вытянув руки вдоль тела».

Потом он спросит своего учителя: «Я и правда летал, дон Хуан?»

– Так ты мне сказал, разве нет?

– Да, знаю, дон Хуан. Но я имею в виду, правда ли мое тело летало? Я оторвался от земли как птица?

– (...) Ты летал. (...) Твой вопрос не имеет смысла. Птицы летают, как птицы, а человек, который отведал травы, летает именно так.

– Как птицы?

– Нет. Он летает, как человек, отведавший травы».

Дон Хуан часто отвечает загадками и смеется над своим учеником.

По мнению Карлоса, он действительно летал, даже если его тело не поднималось на двадцать метров над землей. Он испробовал *иную* реальность.

При таком «взгляде на мир» тело и душа не отделены друг от друга. Человек остается единым целым. Он идет по пути расширения реальности: «Для человека знания трава дьявола всего лишь один из возможных путей. Существуют и другие. (...) Я считаю, что нечего зря тратить жизнь на единственный путь, в особенности если это путь без сердца».

Дорога должна иметь сердце. Путь важнее направления. Уж не читал ли дон Хуан Гегеля и Гуссерля? Его метод чисто феноменологический. Путник стоит на месте, а мир вокруг него меняется, когда он переводит взгляд. Таким образом, мир становится сумерками.

Под руководством дона Хуана Карлос исследует неведомые материи до того сентябрьского дня 1965 года, когда его побеждает ужасный противник – страх: «Несколько часов я был глубоко подавлен. Потом дон Хуан объяснил, что такая неадекватная реакция наблюдается часто. (...) По его словам, это был не страх смерти, а страх потерять свою душу, обычный страх, присущий людям, у которых нет четкой цели».

Рассказ завершается малопривлекательным описанием человека, побежденного страхом, не способного продолжать слишком тернистый путь.

Кажется, что на этой пессимистической ноте книга заканчивается. Однако дальше следует «структурный анализ». Поэт вдруг превращается в судебного эксперта, а очарованный ученик вспоминает, что он еще и исследователь, жаждущий «показать внутреннюю связь и силу учения дона Хуана».

Этот несколько школьный подход представляет собой анализ структуры обучения. Но под силу ли автору эта задача? Создается впечатление, что на страницах «структурного анализа» Кастанеда пытается оправдать невероятное и в каком-то смысле сгладить незрелость собственной речи.

Он дает подробное, тщательное определение союзника: «По описанию дона Хуана, союзник – это сила, способная помочь человеку преодолеть себя», – разглагольствует многословный ученик. И добавляет очень важную характеристику: «То есть союзник позволяет выйти за пределы привычной реальности».

Мы добрались до самой кульминации обучения. То, что сознание воспринимает с помощью Мескалито, является *подлинным.* Карлос Кастанеда подошел слишком близко к краю. И теперь пытается дать рациональную оценку своим чувствам: «Небывалое ощущение ужаса (...) поселило во мне странную уверенность в том, что каждодневная реальность по своей сути истинная (...)».

В конечном счете «Учение дона Хуана» представляет собой разнородное произведение. Но не таилась ли червоточина уже в самом изначальном замысле? Автор со всей ответственностью заявляет о погружениях в необычную реальность. Однако он не приводит ни одного доказательства, что подобное состояние возможно. И читатель воспринимает рассказ Кастанеды как описание галлюцинаций, вызванных наркотиком.

Структурный анализ выглядит несколько натянуто. Он опирается не на факты, полученные в результате опыта, а на грезы наяву. Анализ якобы расчленяет систему понятий индейца яки. Но Кастанеда сам принимает веру дона Хуана и смотрит на мир его глазами.

Структурный анализ похож на судебное заседание в защиту «донхуановских» утверждений. А в таком виде «Учение дона Хуана» рискует быть воспринято как апология наркотиков. И действительно, спорная и скандальная книга вызовет столько же ненависти, сколько неподдельного интереса.

РЕВАНШ УГНЕТЕННЫХ

«Учение дона Хуана» выходит в апреле 1968 года. Дата знаменательная. Повсюду в мире молодежь отстаивает право отличаться от остальных. Калифорния становится эпицентром контр-культуры «андеграунд». В Лос-Анджелесе на концерты «Дурс», «Спирит», «Квиксильвер Мессенджер Сервис» и «Лав» собираются огромные толпы. В Америке как грибы после дождя появляются альтернативные печатные издания психоделического толка: «Беркли барб», «Беркли трайб», «Авер синс», «Сан-Франциско орэкл», «Никель ревью», «Каунтдаун», «Квиксильвер таймс», «Ист вилледж авер» – наиболее яркие представители их пышного многообразия. В это же время университеты сотрясают митинги и выступления против войны во Вьетнаме, а это уже похоже на бунт целого поколения, родиной которого могла бы стать Калифорния.

В этой накаленной атмосфере «Учение дона Хуана» становится манифестом поколения хиппи. Разве Кастанеда не описывает в нем психоделические «поездки», во время которых он пробовал запрещенные грибы? Очевидно, что книга обязана своим успехом множеству фанатов, оголтело накинувшихся на «растения силы», воспетые доном Хуаном.

Будущий автор «Диких сердцем» Барри Гиффорд живет в Беркли. В марте 1968 года он присутствует на презентации книги Кастанеды: «В зале на Тегеран-авеню собралось много народу, одних привлекал психоделический аспект книги, других то, что это рассказ об индейце. В то время университет в Беркли просто бурлил. Студенты протестовали против войны во Вьетнаме, курили травку, пробовали ЛСД. Этажом ниже того помещения, в котором мы находились, в пиццерии подавали QG бандам «ангелов преисподней»[1]. В соседнем здании репетировала группа «Гретфул дид». А здесь, в этом зале, Тимоти Лири и многие другие ждали Кастанеду. По рукам ходили косячки и промокашки, пропитанные ЛСД. Пришел Кастанеда. Он казался старше, чем мы себе представляли. Затянутый в строгий темно-серый костюм, Кастанеда выглядел как профессор. (...) Ему предложили косячок, он отказался. Похоже, он был не в духе».

Достоверен ли этот красочный рассказ? То, что «Гретфул дид» репетировали в соседнем здании, можно

---

[1] «Hell's angels» – знаменитый мотоциклетный клуб в США.

вполне себе представить. Но присутствие Тимоти Лири сомнительно, поскольку мы знаем, что они с Кастанедой уже встречались и друг другу совсем не понравились.

Но, как бы там ни было, новое произведение вышло в уважаемом университетском издательстве. Кастанеда не гнушается рекламной кампании. Он раздает автографы на книгах во многих калифорнийских книжных. А также дает несколько интервью. Кроме прочего, беседует с Теодором Рожаком на волнах радиостанции КПФА весной 1968 года. Рожак фигура известная. Этот профессор Государственного калифорнийского колледжа в Хейворде горячий поклонник контр-культуры. В 1969 году он опубликует восторженную похвалу движению хиппи «Создание контр-культуры».

Если послушать первые интервью, создается впечатление, что Карлос заранее подготовил ответы. Он тщательно избегает вопросов о личной жизни, красочно описывает встречи с доном Хуаном и то и дело цитирует собственную книгу.

Отвечая в магнитофонной записи на вопросы Джейн Хеллисоу из Издательства Калифорнийского университета, он впервые подробно рассказывает о народе яки. В книге этническая принадлежность дона Хуана кажется само собой разумеющейся. На кассете же, предназначенной для прослушивания по радио, Кастанеда подробно останавливается на печальной истории племени, которое вело постоянную борьбу с завоевателями, пока в конце концов его представители не были рассеяны по всей стране: «Яки – христиане, провозгласившие себя католиками. Они добровольно позволили католическим миссионерам посетить их в 1773 году, но после восьмидесяти лет колонизации убили всех миссионеров, и те больше никогда не возвращались. Яки вступили в войну с мексиканцами. Война длилась долго. (...) И вот наконец, в

1908 году, в начале века, Мексика решила положить конец этой бессмыслице. Их подвергли осаде, на них послали много солдат, чтобы вывезти индейцев и посадить на корабли, уходившие на юг, в Оахаку, Веракрус и на Юкатан. Яки разбросали по всей стране, потому что это было единственным способом их остановить (...). Они воины. Эти люди очень и очень воинственны. (...) Они ненавидят мексиканцев и называют их йори, что значит «свиньи» или что-то в этом роде».

Кастанеда впервые урывками рассказывает о народе яки. Однако «индейская» тема кажется наиболее важной. В шестидесятые годы многие дети-цветы желают порвать с западной цивилизацией, где правят деньги. Некоторые подбивают индейцев к бунту. Как государство может называть себя демократическим, если оно построено на могиле уничтоженного народа? Кастанеда становится членом движения за возвращение к «природному» сознанию. Разве в книге индеец дон Хуан не «преподает свою науку» восхищенному представителю западной цивилизации? Словно по мановению волшебной палочки угнетенный становится учителем угнетателя.

Обучение не имеет официального статуса, зато, по словам автора, он постоянно видится с доном Хуаном. В апреле 1968 года Кастанеда едет в Мексику, чтобы ему первому вручить экземпляр книги. Он также дважды навещает дона Хенаро.

Очень скоро выясняется, что Издательству Калифорнийского университета повезло, объем продаж книги растет с головокружительной быстротой.

Летом Карлос сообщает своему издателю Джиму Квебеку, что уже начал писать вторую книгу. Квебек принимает это к сведению. По его совету Кастанеда назначает встречу с литературным агентом Недом Брауном и становится его постоянным клиентом.

Однако когорта скептиков тоже не дремлет. Неужели университет принимает всерьез эту психоделическую чушь?

Кастанеда отстаивает научность своей работы. Он по-прежнему пользуется безусловной поддержкой Клемента Мейгана. Летом 1968 года Мейган приглашает Карлоса приехать в его дом в Топанга-каньон. Он снимает учебный документальный фильм об индейских наскальных рисунках и хочет снять руки Кастанеды, которые ему кажутся достаточно смуглыми, чтобы сойти за руки индейца. Карлос любезно соглашается на эту услугу.

Но съемка всего лишь предлог. В доме Мейгана Карлос отдыхает и ведет долгие беседы. В задушевном разговоре он признается в своей любви к литературе.

Наступает новый учебный год, и примерный студент снова садится за парту. Однако у славы есть свои достоинства и свои недостатки. Думал ли Карлос, что навязчивые поклонники начнут его донимать и лезть в личную жизнь? Приходило ли ему в голову, что однажды в перерыве между лекциями он будет раздавать автографы?

Известность меняет его характер в худшую сторону. Он становится маниакально подозрительным. Уезжая в Мексику, тщательно путает следы. Кроме него, никто на свете не должен приближаться к загадочному дону Хуану.

Через полгода становится ясно, что книга бьет все рекорды по продажам. Может, стоит прибегнуть к «проверенному» методу и выпустить ее в карманном формате? Джим Квебек деликатно намекает на это. Издатели тут же наперебой предлагают свои услуги. Наиболее выгодными оказываются условия «Баллантин букс», которое предложило двадцать пять тысяч долларов с ограничением выпуска в четыре года. По истечении этого срока права снова перейдут к университетскому издательству.

Книга выходит в карманном варианте в апреле 1969 года с психоделической обложкой, изображающей пресловутый гриб. Итак, Карлос Кастанеда перешел черту. Еще вчера он носил белую блузу исследователя. Сегодня он «успешный писатель».

В отличие от широкой публики, в университете книгу встретили довольно сдержанно. В апреле 1969 года журнал «Американский антрополог» опубликовал примечательную статью Эдварда Холланда Спайсера. Профессор антропологии Аризонского университета, Спайсер является одним из немногих специалистов по племени яки. А потому его мнение особенно интересно.

С самого начала он безжалостно заявляет, что дон Хуан не обладает ни одной чертой, присущей яки: «Бесполезно подчеркивать, как это сделано в подзаголовке, связь между персонажем книги и культурными традициями яки. (...) В самом тексте не дается никаких подтверждений этой связи». Необходимо напомнить, что на английском языке книга вышла с подзаголовком «Путь знания индейцев яки». Не подсунул ли автор одно вместо другого?

В предисловии к французскому изданию книги Дэниела С. Ноэла «Свет и тени Карлоса Кастанеды» Венсан Барде и Зено Биану отмечают такую особенность: «Появление дона Хуана в какой-то мере является следствием уничтожения культуры коренного населения, а потому его учение носит явно экспериментальный характер и отдает чем-то первобытным. Последнее (последнее ли?) звено перед переходом к доминирующей культуре – дон Хуан избегает религии. Некоторые усмотрят в этом некую деградацию, другие – возможность прорастить то, что Домаль[1] называл «зерном контр-культуры».

Быть может, дон Хуан – символ изгнания и смешения культур? Не отражает ли его личность вырождение нации, которую современная цивилизация и история затруднились бы классифицировать? Правда в том, что народ яки много раз изгоняли и переселяли. Эдвард Спайсер приводит множество смущающих фактов: «Использование трех растений силы, однако, не соответствует нашим этнографическим сведениям о народе яки, и дон Хуан описан так, что он никоим образом не мог принадлежать к сообществу яки. Ни одно слово на языке яки не упоминается, даже при описании основных понятий «пути знания» дона Хуана».

Иными словами, книгу нельзя в какой бы то ни было степени считать путем знания *яки*. Ее нужно классифицировать как *литературное* произведение: «Эти рассказы кажутся мне гораздо более значительными по сравнению с книгами Олдоса Хаксли (...). Кастанеда так талантливо пишет, что мне показалось, будто я сам все это пережил (...). Благодаря зрелому писательскому таланту он использует прием постепенного знакомства с персонажем и погружения в атмосферу, вместо детального описания событий и места».

В этих нескольких строчках все сказано. Если правдоподобность дона Хуана и вызывает сомнение, то сам захватывающий рассказ никого не оставит равнодушным благодаря своему духовному содержанию. В книге Кастанеды ничего не происходит. Молодой американец беседует со старым индейцем где-то в пустыне. Но откуда этот трепет и что держит читателя в постоянном

---

[1] Домаль Рене (1908–1944) – французский писатель. Визионер и богоискатель, увлекался тибетской мистикой, входил в близкую к сюрреализму литературную группу «Большая игра».

напряжении? Спайсер почувствовал литературную тайну необычного писателя.

Однако личность дона Хуана не становится от этого менее загадочной. Как следует его оценивать? Быть может, его образ был собран по частям подобно автомату или заводной игрушке? В своей книге Маргарет Раньян не сомневается в существовании дона Хуана, хотя и подчеркивает его некоторое сходство со знаменитым перуанским мудрецом и курандеро Эдуардо Калдероном Паломино. Но каким образом индеец яки, разъезжавший между Аризоной и Мексикой, мог походить на перуанского целителя? Настораживающий факт: Паломино был когда-то проводником и наставником антрополога из УКЛА Дугласа Шарона. Может, Кастанеда «откопал» своего индейца в работах Шарона, и его персонаж родился в стенах библиотеки лос-анджелесского университета? Не исключая такую возможность, Маргарет Раньян задается вопросом: может быть, Кастанеда просто видел все это в детстве, наблюдая за курандеро в Кахамарке?

В своей полемической работе «Карлос Кастанеда. Академический оппортунизм и психоделические шестидесятые», изданной в 1993 году, Джей Кортни Файкс, со своей стороны, полагает, что Хуан черпает знания из традиций племени гуичоль. В отличие от яки, гуичоль используют пейот в религиозных целях. Как антрополог Файкс намеревается очистить научную дисциплину, которую осквернили Кастанеда и ему подобные. В частности, он выступает против психоделической трактовки индейских верований, происходившей в шестидесятые годы. Романтическое и доброжелательное отношение хиппи кажется ему неким неоколониализмом. Он утверждает, что дон Хуан – собирательный образ, составленный из двух представителей племени гуичоль: Рамона Медины Сильвы и его учителя дона Хосе Мацувы.

Правомерна ли эта гипотеза о влиянии гуичоль? С 1966 по 1968 год Карлос действительно вполне мог сблизиться с представителями этого хорошо изученного племени. Весной 1966 года в университетском городке УКЛА он знакомится с очаровательной девушкой антропологом по имени Барбара Майерхоф, которая изучает шамана из Ринкона, Рамона Медину Сильву. В это же время оба исследователя решают *обменяться* сведениями. Значит, и тот и другая общались с «носителями знаний»?

Больше года Барбара и Карлос регулярно встречались и сравнивали своих шаманов. Карлос сопровождал Барбару в дом мексиканца Рамона Медины Сильвы. Позднее состоялось еще несколько встреч с шаманом. И наконец, в 1974 году Барбара Майерхоф публикует работу под названием «Охота на пейот».

Возможно ли, чтобы Кастанеда тем или иным образом вдохновлялся трудами Барбары Майерхоф? В книге, вышедшей в 1990 году, Барбара Майерхоф открыто ругает себя за наивность и за то, что так неосмотрительно доверилась Карлосу. Она даже назовет себя жертвой плагиата.

Джей Кортни Файкс, однако, полагает, что Барбара Майерхоф скорее пала жертвой обольщения и что в 1974 году она «раздула» образ Рамона Медины Сильвы, чтобы сделать его таким же популярным, как дон Хуан.

По правде говоря, прототипами дона Хуана могли быть многие реально существующие люди. Во всяком случае, таково мнение одной из подруг Кастанеды, Эми Уоллес: «Мне кажется, на создание этого великолепного литературного персонажа Карлоса вдохновили различные наставники. Среди них можно назвать Оскара Ихазо и Клаудио Наранхо, традиции суфизма, его любимого философа Алана Уоттса, Свами Муктананду и

Свами Вивекананду и многих других. Я предполагаю, что он много путешествовал по Латинской Америке, где встречался с шаманами и собирал разные растения силы. Думаю, к этим опытам он добавил собственный гений и подарил нам замечательного, однако вымышленного дона Хуана». Вопрос о доне Хуане самый щекотливый. И все же он прозвучал публично после выхода книги «Учение дона Хуана».

В июне 1969 года «Нью-Йоркское книжное обозрение» заказывает статью Эдмунду Личу. Лич – специалист по культурной антропологии из Кембриджского университета и, похоже, настроен по отношению к Карлосу дружелюбно. Но и его похвала не лишена иронии: «(...) Дон Хуан выглядит этаким мудрствующим мистиком, который изъясняется на языке «Апокалипсиса» (...). Но какая часть этой философии принадлежит дону Хуану, а какая Кастанеде, цитирующему «Книгу откровений»?

Может, слова, приписанные Хуану, созрели в мозгу инакомыслящего студента? Это могло бы объяснить «дикий синкретизм» учения, которое напоминает одновременно даосизм, веданту и дзен и вдохновляется досократовыми греческими учениями, христианской мистикой и немецкой философией.

С 1969 года Эдмунд Лич и Эдвард Спайсер настойчиво утверждают: каким бы талантом ни обладал Кастанеда, его следует считать литератором, но не исследователем.

Однако Карлос – игрок. Он гнет свою линию и не обращает внимания на критику.

26 августа 1968 года он получает письмо, которое, по всей вероятности, не могло его не встревожить. Послание было адресовано крупнейшим американским антропологом Робертом Гордоном Уоссоном.

«Дорогой господин Кастанеда,

меня попросили дать оценку книге «Учение дона Хуана, путь знания индейцев яки» в «Экономик ботани». Я прочел ее, и на меня большое впечатление произвело качество литературного изложения и галлюцинации, которые вы пережили. (...) Имею ли я право сделать вывод, что вы никогда не пробовали грибы и даже не видели их?»

Строчка за строчкой тучи сгущаются. Как Кастанеда мог есть грибы в Соноре и Хихуахуа, если они там не растут? Уоссона удивляют способы их употребления, которые не соответствуют традиционным. И наконец, он открыто сомневается в существовании дона Хуана.

Достаточно сжатое, точное и скептическое письмо не могло не вызвать немедленной реакции. 6 сентября 1968 года Карлос Кастанеда отправляет Роберту Гордону Уоссону ответ на шести машинописных листах, отпечатанных мелким шрифтом. Он ссылается на «кочевой образ жизни» дона Хуана. Он признает, что между учением дона Хуана и традицией яки не существует прямой связи. Его книга никогда не должна была называться «путь знания индейцев яки». Откуда этот лживый подзаголовок? Тут виноват редактор, а Карлос ни при чем. Он уточняет, что обучение велось на испанском, но что дон Хуан бегло изъясняется на наречии яки, юма и мацатеков.

В своем письме Уоссон даже задается вопросом: кто такой Карлос? Желая обойти острые углы, Кастанеда рассказывает ученому некоторые пикантные подробности своей «биографии». Он родился в Бразилии и провел детство в Сан-Паулу. Позднее его отправили учиться в Аргентину. Его настоящее имя Карлос... *Аранха.* И наконец, Карлос прикладывает к письму многочисленные «заметки», которые послужили основой для описания его встреч с доном Хуаном.

Однако убедить ученого Карлосу так и не удалось.

«ОТДЕЛЬНАЯ РЕАЛЬНОСТЬ» – РОМАН О ПОСВЯЩЕНИИ

Вторая книга вышла в июне 1971 года под названием «Отдельная реальность. Продолжение бесед с доном Хуаном».

Этой книги, безусловно, ждали. Условия для ее выхода создались самые благоприятные. «Учение дона Хуана» имело огромный успех. На 1971 год пришелся апогей движения хиппи. Вся Америка до основания словно охвачена ураганом. В каждой семье нашелся свой бунтарь.

В такой обстановке Карлоса Кастанеду воспринимают как проповедника контр-культуры. Он становится проводником, учителем и мессией поколения с «новым сознанием».

Во Франции книга вышла под названием «Видеть. Учение колдуна яки». Подзаголовок довольно интригующий. Похоже, Карлос не обратил никакого внимания на замечания Роберта Гордона Уоссона. Невзирая на критику, он снова щеголяет эпитетом «яки».

В длинном предисловии Кастанеда оправдывает свой литературный проект и вновь пытается выдать его за научный труд. Он снова рассказывает о своей встрече с доном Хуаном и на этот раз открывает полное имя наставника – Хуан Матус. Неуловимый маг неожиданно обретает социальный статус. По этому поводу Маргарет Раньян безжалостно заявляет, что любимое вино Карлоса называется «матеус». Может, он попросту переклеил этикетку?

Однако корни фамилии «Матус» действительно относятся к народу яки. В 1926 году мятежный генерал Луис *Матус* взял в заложники бывшего президента Мексики Альваро Обрегона. Он погиб в бою, когда правительственные войска пошли на приступ. Кроме того, в печальной истории индейцев яки был еще один талантливый полководец, который с 1824 по 1833 год вел жестокую войну с испанскими завоевателями, его звали – *Хуан* де ла Крус Бандера. Таким образом, имя *Хуан Матус* близко каждому, кто изучал трагическую судьбу народа яки.

Но, может, автор черпал из других источников? 23 июня 1971 года шаман гуичоль Рамон Медина Сильва был убит в драке. Вдохновило ли это Карлоса на создание дона Хуана? Он немедленно отправился в Мексику к вдове шамана Гваделупе де ла Крус Риос.

«Учение дона Хуана» кончается на пессимистической ноте. Карлос из страха отказывается от пути знания, на который встал: «Когда я прервал свое обучение, то думал, что это навсегда (...)». Но за какие-то несколько месяцев все изменилось. «Однако в апреле 1968 года вышла моя книга, посвященная этому учению, и я решил, что обязан показать ее дону Хуану. Я приехал к нему, и наши отношения учителя и ученика таинственным образом возобновились».

«Отдельная реальность» рассказывает о новом цикле обучения, который продлился со 2 апреля 1968 года по 16 октября 1970 года. Теперь у главных героев больше доверия друг к другу, они держатся гораздо непринужденнее. И чаще шутят.

Отныне учение дона Хуана сосредоточено на понятии «видеть»: «Очевидно, в его системе знания существовала семантическая разница между «смотреть» и «видеть», как между двумя различными способами восприятия. «Смотреть» означало обычный способ ощущения мира, в то время как «видеть» представляло собой сложный процесс, путем которого «человек знания» мог постигать сущность вещей».

Хуан словно перефразирует слова Аристотеля из «Метафизики»: «Подобно тому, как глаз ночной птицы моргает при дневном свете, так и взгляд смертного ослеплен наиболее очевидным». Все зависит от взгляда. Нужно отринуть явное, чтобы проникнуть в суть вещей.

Наркотик позволяет перевести взгляд из осязательного мира в мир сущностей: «За время второго цикла моего ученичества дон Хуан ясно дал понять, что употребление курительной смеси являлось необходимым условием для того, чтобы «видеть».

Хуан Матус делает загадочное пояснение: «Только курение даст тебе необходимую скорость для того, чтобы заметить этот текучий мир».

Понятие скорости здесь определяет временный характер явления. Но есть ли время в мире сущностей? Означает ли это, что необходимо отделить себя от будущего? Карлосу придется усвоить новый взгляд: «Задачей дона Хуана, как практика, делающего свою систему доступной для меня, было разрушить ту особенную уверенность, которая присуща мне, как любому человеку, в том, что наш здравомыслящий взгляд на мир является окончательным».

Хуан не обсуждает реальность мира. Он только предлагает изменить его восприятие. Такова конечная цель того, кого старый индеец отныне называет «воином».

Это понятие является ключевым. В «Колесе времени» в 1998 году Кастанеда объясняет грозный термин: «Чтобы дать определение воину, шаманы древней Мексики воспользовались фундаментальной идеей отношения к смерти, как к спутнику, или свидетелю наших поступков. Дон Хуан говорил, что, если в какой бы то ни было форме принять эту идею, возникнет мост над пропастью, разделяющей нашу повседневную жизнь и нечто впереди, не имеющее названия (...). Дон Хуан утверждал, что единственный, кто может пройти по этому мосту, это воин: безмолвный в своей борьбе, неукротимый, потому что ему нечего терять, стойкий и деятельный, потому что ему предстоит обрести все.

Мы приобщаемся к тайне кастанедовского слова: двое мужчин беседуют в ветхой хижине где-то в Мексике; так что же держит читателя в таком напряжении до последней страницы?

Автор чуть ли не извиняется за использование литературных приемов: «Каждая из глав, на которые разбита книга, представляет собой очередной урок дона Хуана и всякий раз заканчивается оборванной нотой. Таким образом, драматический тон в конце каждой главы не мое литературное изобретение, это было свойственно разговорной манере дона Хуана».

Хуан Матус, таким образом, преображается в чудесного рассказчика, которого можно было бы сравнить с рабби Нахманом из Бреслева...

Хотя в «Отдельной реальности» говорится о посвящении, Карлос хочет представить эту книгу только как репортаж: «Основной упор я сделал на то, что касается социальной науки», говорит он во введении.

По правде говоря, непонятно, каким образом книга касается «социальной науки». Речь идет попросту о погружении в другой мир. Хуан не пользуется символами, а предлагает постичь простое:

«– Дымок поможет тебе видеть людей, как нити света.

– Нити света?

– Да, нити, как белые паутинки. Очень тонкие волокна, идущие от головы к пупку. Человек становится похож на яйцо из живых нитей. Его ноги и руки напоминают светящиеся шелковые волоски, излучающие свет во все стороны».

Есть что-то наивное и обезоруживающее в этом описании человека как клубка шелковых ниток. Но оно соответствует нехитрому взгляду индивида, который хочет поделиться своим видением.

Метафоры дона Хуана часто приводят в замешательство. «У царя Эдипа, возможно, был третий глаз», – писал Гёльдерлин. Свет не всегда нужен. Хуан больше предпочитает то, что называет «темнотой дня»: «Он сказал, что «темнота дня», – лучшее время, чтобы видеть».

Странный индеец без роду и племени делает замечания и критикует тибетскую «Книгу мертвых»: «Не понимаю, почему эти люди говорят о смерти так, будто она похожа на жизнь».

Карлос спрашивает: «Как, по-вашему, тибетцы видят?

– Вряд ли. (...) Во всяком случае, то, о чем они говорят, это не смерть».

РИСКИ ПОСВЯЩЕНИЯ

Несмотря на грандиозный коммерческий успех, «Отдельная реальность» сеет недовольство. Как относиться к этому не поддающемуся классификации произведению, которое претендует на звание научного труда, чтобы сильнее околдовать читателя?

Пока недоумение растет, ширятся ряды противников. С раздражением и сарказмом обсуждают они коммерческие ужимки писателя, умеющего, по всей видимости, набить себе цену.

Профессор университета Дьюка и знаменитый антрополог, Уэстон Лабарр, в рядах оппозиции. Его суждение для нас небезынтересно. Лабарр считается крупнейшим американским специалистом по психотропным растениям. Карлос восхищается его работой и зачитывается его книгами.

А каково же мнение Лабарра о книге перуанского студента? Мягко говоря, оно еще более безжалостное, чем у Роберта Гордона Уоссона.

Он яростно нападает на сам замысел кастанедовских книг и высмеивает их претензию на научность. «Учение дона Хуана» он разносит в пух и прах: «Приложение, заявленное как «структурный анализ», выявляет резкую смену стиля и, по всей видимости, было добавлено по просьбе творческой комиссии, чтобы залатать дыры жалкого и несуразного этнографического труда. Однако эта набившая оскомину попытка разыграть Леви-Строса[1] не могла удовлетворить ни читателей, ни комиссию».

Об «Отдельной реальности» Уэстон Лабарр отзывается с ядовитой иронией: «По-видимому, существует немало людей, которые ценят дешевые поделки вроде книг Ардрая, Хейердала и Десмонда Морриса. Подобной публике без сомнения понравится это новое изделие».

Невероятно популярный автор Тур Хейердал, не колеблясь, смешивает в своих живописных рассказах правду и суеверие. Среди его книг такие, как «Аку-Аку», «Тайна острова Пасхи» и «Путешествие на Кон-Тики». Десмонд Моррис известен как автор эссе по популяризации науки. Среди его бестселлеров «Голая обезьяна» и «Язык жестов». По мнению Лабарра, Кастанеду в конечном итоге следует отнести к категории писателей-популистов. Разве он не обыкновенный популяризатор, поденщик, достойный красоваться в витрине супермаркета? «Для читателя, интересующегося психотропными растениями американских индейцев хотя бы с десяток лет, книга выглядит скучной, утомительной, поверхностной, псевдоэтнографической и отдающей дурным вкусом».

---

[1] Леви-Строс Клод (1908 г.) – французский этнограф и социолог, один из главных представителей структурализма.

Уэстон Лабарр дает волю своему гневу. Другие брызжут едким сарказмом. Например, Уильям Берроуз ограничивается таким замечанием: «Ну почему дон Хуан выбрал не меня, а этого идиота Карлоса?» В свою очередь, Хантер Томпсон не скрывает презрения: «Путь яки... ведущий к дури».

Разражается настоящая война. Среди сторонников Карлоса особенной горячностью отличается Роберт Бакаут. Главной заслугой этого профессора психологии Нью-Йоркского университета можно считать открытие дебатов. Большинство противников твердят одно и то же: Кастанеда талантливый лгун. Его преступление против науки обесценивает книгу, которая отныне не достойна чтения. Кастанеда не писатель и не исследователь, а просто ловкий проныра, популяризатор, отвечающий веяниям времени, и зазывала, каких полно у дверей крупных магазинов.

Бакаут мужественно встает на защиту книги и предлагает взглянуть на нее под другим, пока еще непривычным углом. К какой категории следует отнести «Отдельную реальность», этот волнующий, притягательный рассказ о приобщении к тайне? «Подобные произведения способны взбудоражить психолога, эпистемолога и всякого думающего человека. Их нужно читать и испытывать на себе; невозможно в одной статье передать их воздействие».

Бакаут представляет проблему в ином свете. Кастанеду считают популяризатором, потому что его произведения в высшей степени... поэтичны. Поэзия фактически выносит его книги за пределы антропологии. И не важно, где источник вдохновения Кастанеды – в Мексике, Индии или Калифорнии. Его слова звучат силой своей очевидности. Он следует своим путем в одиночку.

Между тем Кастанеду охотнее чем когда-либо признают в университетских кругах. «Отдельная реальность» бьет рекорды продаж. В УКЛА ежедневно приходят сотни писем читателей, Хайнес-холл осаждают толпы любопытных, желающих увидеть человека, как никогда окруженного ореолом гуру.

Теперь Кастанеду печатает «значительное» издательство «Саймон и Шустер», умеющее преподнести товар. В частности, весной 1971 года оно организует серию публичных конференций, которые в основном проходят в университетских аудиториях. Чаще всего собираются полные залы. Карлос теперь знаменит как рок-звезда, его охраняет солидная служба безопасности.

Маргарет Раньян присутствует на публичном выступлении своего бывшего мужа в университете Вашингтона: «Там были все, студенты социологии и антропологии с горсткой профессоров, а также знатоки, задававшие тон, разношерстная непринужденная публика, доктор философии рядом со студентом биологом, они сидели на полу в грязных джинсах или подпирали стены».

Это пестрое собрание не хочет упустить ничего. Для них Карлос окончательно переселился в Пантеон контр-культуры, где уже обитают Алан Уоттс, Тимоти Лири, Аллен Гинсберг, Уильям Берроуз... Разве Джон Леннон не сказал: «Йоко – мой дон Хуан»? О Кастанеде ходят самые невероятные слухи. Говорят, что на голове у него копна рыжих волос, а ходит он всегда босиком.

Но вот входит автор... и публика столбенеет. Неужели этот робкий приземистый господин в тесном сером пиджаке и есть Карлос Кастанеда? Каждый ожидал увидеть что-то среднее между Сидящим Быком[1] и Джимом Моррисоном[2]. А этот скромный служащий, который

---

1 Сидящий Бык (род. прим. в 1831 г. – убит 15 декабря 1890 г.) – знаменитый вождь индейских племен хунклапа-сиу.

2 Мориссон Джим (1943–1971) – основатель и солист группы «Doors».

покашливает на трибуне, совсем не похож на звезду. Наконец он проговорил: «Нельзя ли убрать отсюда собак?» Многие хиппи водили с собой лабрадоров и лаек без поводка. Хозяева животных, ворча, выходят из аудитории, в досаде на нетерпимость непредставительного гуру.

Вступительная речь звучит сухо, холодно и механически. Никакой поэзии, никаких чувств, бесцветный отчет судмедэксперта.

Карлос Кастанеда разъезжает по Америке. Каждое его выступление собирает полные залы. Но когда он сходит со сцены, аудитория остается в недоумении.

Его популярность непрерывно растет. Многие знаменитости хотят познакомиться с живым символом «новой культуры». Он соглашается встретиться с Дженис Джоплин, Шоном Коннери, Клинтом Иствудом и Стивом Маккуином. Все говорят о его обаянии и чувстве юмора. Новый статус успешного писателя чрезвычайно ему подходит. После долгих лет безденежья эмигрант наконец пожинает плоды победы.

СЕМИНАР В ИРВИНЕ

В сентябре 1971 года Карлоса Кастанеду пригласили читать лекции в университете Ирвина, маленького городка на юге Калифорнии. Первый и единственный раз в жизни он соглашается преподавать. Ему предоставили ассистентку Розмари Ли. Семинар носит название «Феноменология шаманизма».

В этот беспокойный период студент, чье имя у всех на устах, активно готовится к защите докторской диссертации. Она озаглавлена «Магия: описание мира». Эта работа ляжет в основу его третьей книги «Путешествие в Икстлан».

На семинар в Ирвине записалось двенадцать студентов. Но в первый же день в тесной аудитории собралось около тридцати человек. Кое-кому пришлось стоять. Чего не сделаешь, чтобы приблизиться к мэтру...

Карлос чувствует себя уверенно только в узком кругу слушателей. За дверями студии он дает себе волю, превращается в педагога, а иногда изображает «духовного наставника». На этих лекциях непринужденная обстановка. Он не готовится к ним, а просто комментирует свои опыты. Поэт вновь побеждает «исследователя», к большой радости студентов, очарованных этим низкорослым человеком с орлиным взором.

Семинар Кастанеды в Ирвине уникален. Карлос открывает душу и высказывает сокровенные мысли: «Сначала я думал, что психотропные растения играют главную роль. Больше я так не думаю. Они просто помогли мне. Дон Хуан сказал, что то, чему он меня научил, было средством остановить мир».

Остановить мир – значит выйти из будущего, отменить временные ориентиры, чтобы изучить сущность времени. Наркотики позволяют определить первый путь. Они открывают двери восприятия. Но, как только они открыты, исследователю уже не нужны дурман, пейот и прочие растения.

Карлос все время высмеивает Тимоти Лири, называя его «королем троллей». Он рассказывает забавный случай, скорее всего вымышленный. В самом конце шестидесятых годов он гостил у дона Хуана в Мексике, когда они случайно наткнулись на тайное поселение последователей Лири, которое располагалось в каком-то доме посреди пустыни, его обитатели без конца употребляли наркотики. Двадцать пять американцев жили здесь подобно зомби. Они даже не могли говорить. Единственная дверь, которую открыл для них

ЛСД, вела к безумию. Карлос и Хуан испытали глубокое отвращение.

Кастанеда побуждает своих учеников прекратить беспорядочное употребление наркотиков, призывает к духовному обновлению. Разве нельзя открыть двери только силой своей души?

Он часто упоминает свое «бразильское» происхождение, говорит об отце, который, по его словам, был «именитым профессором университета». Студенты ловят каждое слово мэтра.

В 1971/72 учебном году Кастанеда ведет двойную жизнь преподавателя и популярного писателя. Весной 1972 года его агент Нед Браун рассказывает Карлосу о неожиданном предложении. Ему предлагают участвовать в популярной национальной телепередаче «Шоу Дика Кеветта». После размышлений Кастанеда отвечает отказом. До сих пор, однако, он не скрывался от прессы. Но теперь боится, что его выставит на посмешище телеведущий с острым как бритва языком.

Этот отказ отмечает новую веху. С 1972 года Кастанеда редко сотрудничает со средствами массовой информации. Отныне он допускает к себе лишь «избранных» журналистов, доверяясь случаю, судьбе и инстинкту. Охотнее всего встречается с колдунами и магами.

Весной Карлос соглашается встретиться в кафе «Фигаро» с двадцатичетырехлетней журналисткой женского журнала «Севентин» Селест Фремон. Их знакомство продлится полтора года, ни разу не выйдя за строгие дружеские рамки. По признанию самой Селест Фремон, Карлос стал для нее «наставником, дядей и другом». Писатель постоянно окружает себя ореолом тайны. Если она хочет его увидеть, ей надо оставить записку на кафедре антропологии в УКЛА. Через несколько дней он звонит ей из уличного автомата. Кастанеда словно играет в секретного агента. Часто водит девушку в кино. Они бывают на выставках, ужинают в ресторане, гуляют по пляжу. Их отношения подобны отношениям учителя и ученицы. Карлос разговаривает как дон Хуан. Он дает девушке советы. И в то же время приводит ее в замешательство, завораживает, воодушевляет.

Селест Фремон крупно повезло. Многие безуспешно пытаются сблизиться с Карлосом. В 1973 году он оставляет молодую журналистку.

В этот период Кастанеда перестает участвовать в публичных конференциях и всецело посвящает себя преподаванию в Ирвине.

Семинар продлится до лета 1972 года. Во время лекций Карлос указывает на возможное сходство учения дона Хуана с буддийскими текстами. Однажды он ведет студентов в горы на севере от Лос-Анджелеса. Там есть «место силы», которое, как говорит Карлос, дон Хуан видел во сне. Он точно указывает его местонахождение. Это недалеко от каньона Малибу. Среди участвующих в прогулке студентов – Розмари Ли, Русс Реджер, Джон Уоллес и его жена Рут.

Кастанеда идет впереди, и наконец они останавливаются в тихом пустынном месте. Тут профессор начинает замысловатый танец – размахивает руками и принимает боевые стойки, чтобы «начертить линии мира».

Студенты с грехом пополам пытаются за ним повторять. Однако небеса не разверзлись. Затмения не случилось. Союзники тоже не появились. Все вернулись домой со смешанными чувствами в душе.

Поведение Карлоса вызывает недоумение. Стал ли семинар в Ирвине переломным моментом его жизни? Похоже, с 1971 года ему начинает нравиться изображать «учителя», а некоторые его ученики превращаются в восторженных последователей.

Что именно преподается в Ирвине? Подобно тому, как дон Хуан просит Карлоса воспринимать его слова «буквально», так и Кастанеда в своем преподавании устанавливает новые правила игры. Студенты должны принять веру дона Хуана. Они должны поменять повседневную жизнь, испытав на себе необычную реальность.

Когда Карлос ведет свою паству на природу, он приобщает их к чудесам. Невероятное не встретишь на улице, и не каждому дано стать брухо, курандеро и воином.

В глазах некоторых участников ирвинского семинара автор «Отдельной реальности» обладает сверхъестественными возможностями и является настоящим колдуном.

Джон Уоллес, который, кроме того, преподает психологию в Ирвине, становится не только восторженным учеником, но и «глубоко верующим». Он знакомится с Карлосом весной 1972 года. Писатель ясно дает понять, что обладает магической силой.

Джон Уоллес рассказывает об этом разоблачительную историю. Однажды они с Карлосом договорились вместе пообедать. Но в назначенный час Кастанеда не появился. Раздосадованный Уоллес отправился к его помощнице Розмари Ли. Та успокоила профессора: Карлосу пришлось срочно выехать в Мексику. Успокоенный Уоллес вышел из кабинета и столкнулся нос к носу... с Карлосом. Но разве он не должен быть сейчас в Мексике? Кастанеда с невероятным апломбом ответил: «Я в Мексике». И пошел своей дорогой, как ни в чем не бывало. Уоллес остолбенел от такого загадочного ответа. Карлос часто пользуется этим приемом вездесущности. Способен ли он и правда находиться одновременно в двух разных местах? Джон Уоллес хочет в это верить. И Карлос искусно поддерживает свою скандальную репутацию. В статье, напечатанной в «Виллидж войс» Рональд Сакеник описывает похожий случай. После конференции с участием Анаис Нин он столкнулся с Карлосом в кафе. Тот уклонился от разговора, пробормотав только: «Я в Мексике, мне надо спешить».

Маргарет Раньян часто вскользь упоминает о том, что ее бывший любовник считал себя не простым смертным. Она описывает необъяснимый случай, произошедший в 1960 году. Она ждала звонка Карлоса, который уехал в Мексику. Вдруг на кухне раздался грохот, похожий на выстрел. Маргарет бросилась туда. Хрустальное блюдо только что разлетелось на тысячу осколков. Невозможно объяснить, как это произошло. Блюдо спокойно стояло в шкафу, и никто его не трогал. На следующий день позвонил Карлос. Он пожаловался, что вчера не смог дозвониться, потому что линия была занята. И женщина делает вывод, что Карлос Кастанеда набрал номер как раз тогда, когда блюдо разбилось само собой. Значит, Карлос обладает необыкновенной силой? Маргарет Раньян дает понять, что Кастанеда вполне мог воспользоваться телекинезом и уничтожить блюдо на расстоянии.

Как бы там ни было, писателю, судя по всему, хочется иметь учеников. Можно ли сделать вывод, что в 1971 году он создал небольшую группу последователей, в которую могли входить Беверли Медж Эймс, Маргарета Нието, Кетлин Полман, Мери Джоан Баркер, Мэриен Симко, Глория Гарвин, Реджин Тол, Розмари Ли или Джон Уоллес?

Ходит много разных слухов. Правда ли, что его окружают приближенные женщины – колдуньи, ученицы, сотрудницы, союзницы и... любовницы? Возможно, семинар в Ирвине стал ключевым этапом. Будущая подруга Карлоса Эми Уоллес подтверждает, что группа была довольно малочисленная. И подчеркивает, что Кастанеда мог образовать ее после выхода «Учения дона Хуана» в 1968 году.

Со студентами Ирвина писатель загадочен и немногословен. Он играет с ними, как кошка с мышью. Правда ли, что предметы, которых он касается, приобретают таинственную силу земли? Он боится собак. Быть может, это «союзники»?

Впечатление такое, что литературный вымысел незаметно проникает в реальную жизнь.

ЛЮБИМЕЦ СЮРРЕАЛИСТОВ

Пока в Соединенных Штатах вокруг Карлоса Кастанеды бушуют страсти восхищения и недоверия, на сцене появляется французский «бродяга», которому предстоит сыграть решающую роль в выходе перуанского писателя на международный рынок. Марсель Кан совсем не похож на профессора. Но можно ли считать его хиппи? Не так давно он сотрудничал с ультралевым изданием «Социализм и варварство». Теперь он вращается в кругах представителей контр-культуры и увлекается американскими индейцами племени хопис. В конце шестидесятых он живет в Калифорнии и знакомится с Карлосом Кастанедой.

Несколько месяцев спустя Кан связывается с Жан-Мишелем Гутье. Тот совместно с Франсуа Ди Дио создает издательство сюрреалистского профиля «Черное солнце», которое с 1952 года будет выпускать замечательные книги. Листая каталог «Черного солнца», встречаешь имена Жерара Леграна, Бернарда Хейдсика, Жан-Кларанса Ламбера, Алена Жоффруа, Джойс Мансур, Клода Пельё.

Кастанеда и Кан встречаются во Франции «где-то в 1968 году»[1]. Кан становится посланником Карлоса. Как

---

[1] Из беседы с Жан-Мишелем Гутье 13 января 2004 года.

могло случиться, что писатель до сих пор не переведен, если его первая книга вызвала настоящую бурю? Он настаивает на одном пункте, который считает особенно важным: французский издатель такого автора не должен принадлежать к издательскому миру. Столь маргинальный автор заслуживает маргинального и изобретательного издателя.

«Трава дьявола и маленький дымок» выходит во Франции во втором квартале 1972 года в переводе Марселя Кана, Николь Менан и Анри Сильвестра. Сочность французского названия, которое сильно отличается от оригинала, будет оценена высоко. Дословный перевод английского заглавия звучит так: «Учение дона Хуана, путь знания индейцев яки» («The Teachings of don Juan, A Yaqui Way of Knowledge»).

Важная деталь: заглавие «Трава дьявола и маленький дымок» было предложено самим Карлосом Кастанедой. Таким образом, для Франции книга имеет иную поэтическую окраску с согласия самого писателя. На задней стороне обложки каждой книги, издаваемой «Черным солнцем», стоит цитата оккультиста Элифаса Леви: «Храбрец, который осмеливается смотреть прямо на солнце, бывает ослеплен, и для него солнце становится черным». Слова, вполне достойные дона Хуана.

Когда книга выходит во Франции, споры в Америке в самом разгаре. Кем считать Кастанеду – антропологом, шарлатаном или поэтом? По мнению сюрреалистов, он объединяет в себе все три ипостаси. Разве Артур Краван не считал себя одновременно поэтом, боксером, искателем приключений, дезертиром и памфлетистом? Кастанеда также выглядит смутьяном, нарушителем мирового порядка, алхимиком-одиночкой. Его считают мошенником? Какая разница, если его так называемое антропологическое исследование открывает окно в иной мир?

Реакция французских читателей на книгу Карлоса Кастанеды кажется совершенно необычной, если учесть, что по эту сторону Атлантики никого особенно не волнует, гений ли этот писатель-колдун или обманщик. «Трава дьявола и маленький дымок» вполне соответствует своеобразию сюрреалистического взгляда на жизнь. В 1974 году издательская группа «Черное солнце» даже выпустит великолепную упаковку, где книга Кастанеды поместится рядом с подставками работы скульптора Джованны, символизирующими ответы на вопросы.

ТОЛКОВАТЕЛЬ СНОВИДЕНИЙ «ПУТЕШЕСТВИЕ В ИКСТЛАН»

Вышедшее в 1972 году «Путешествие в Икстлан» знаменует новый поворот событий. «Ученое издание» имеет подзаголовок «Уроки дона Хуана». Похоже, автор с каждым разом придает книге новое звучание. Карлос все больше удаляется от «научности», в то время как «мистико-поэтическое» начало занимает еще более значимое место.

Книга задумана как описание третьего цикла обучения, начавшегося 22 мая 1971 года. Однако придется дочитать до 215-й страницы, чтобы дойти наконец до этого нового этапа.

Большая часть книги посвящена так называемой новой редакции встреч, произошедших между 1960 и 1962 годами. Ее особенность в том, что она совершенно не похожа на две предыдущие. Напрашивается вывод, что в 1972 году Кастанеду уже не волнует, поверят ли ему. Он заново пересказывает историю обучения, которую описывал раньше, но преподносит ее под другим соусом. Есть в этом как бы негласное признание в том, что история вымышленная.

Автор снова и снова оттачивает своих персонажей, как ему вздумается, не заботясь о хронологии. Но разве разрушение времени не пронизано философским смыслом? Разве еще недавно дон Хуан не говорил, что необходимо выйти за пределы будущего? Время воина не имеет ничего общего с движением стрелки часов.

Наплевав на всякое правдоподобие, ведя рассказ о событиях, произошедших между 1960 и 1962 годами в книге от 1971 года, Кастанеда пересказывает историю по-другому. Может ли выход за пределы будущего помочь понять сущность времени?

В «Колесе времени», опубликованном в 1998 году, Кастанеда подчеркивает свой статус ученика: «Когда я писал «Путешествие в Икстлан», вокруг меня воцарилась самая загадочная атмосфера. Дон Хуан Матус предписал мне очень строгие правила поведения в повседневной жизни».

В чем состоят эти строгие правила, которые отмечают новый этап посвящения? «Прежде всего, я должен был стереть историю своей жизни любыми возможными средствами. Затем избавиться от привычек и всякой повседневной рутины. Наконец, он попросил меня расстаться с чувством собственной значимости».

Дон Хуан просит Карлоса «забыть прошлое», отдаться неведомому. Часто повторяемая ложь находит здесь эзотерическое оправдание. Стирание прошлого в конечном счете позволяет уничтожить собственное «я».

В «Путешествии в Икстлан» дон Хуан требует, чтобы Карлос молчал о своей «личной жизни». Он берет его в свидетели. Что мы знаем о старом индейце? Ничего или почти ничего. Но такая таинственность не случайна: «Мало-помалу я окружил свою жизнь туманом. Теперь никто не может знать наверняка, кто я и что я делаю». А вскоре дон Хуан оправдывает и ложь: «Мне нет дела до лжи или правды (...). Ложь может быть ложью лишь для того, у кого есть прошлое».

Цель воина – уничтожение собственного «я». Уничтожение «я» и остановка мира приводят на путь силы. «Уничтожить свое прошлое не значит лгать», замечают Бернар Дюбан и Мишель Маргери в книге «Кастанеда, путь воина». «Это значит пренебречь самим понятием правды, потому что «поиск истины» – путь не воина, а философа, раба своего рассудка».

Выйдя за пределы осязаемого мира, мы достигаем состояния сна наяву. Это означает «сознательно» существовать в мире сновидений. Может ли воин действительно контролировать бессознательное настолько, чтобы переделывать сны? Вот что писала Анаис Нин: «Я должна следовать своим путем, который является методичным, изнурительным, естественным способом соединить сновидение с творческим началом жизни, поиском развития чувств, видения, воображения как подвижных элементов и вместе с ними создать новый мир, новый вид человеческого существа. Я стремлюсь к целостности не через пассивный сон, вызванный наркотиком, а через сон активный и динамичный, соединенный с жизнью, связанный с ней в гармоничное целое, в котором наслаждение цветом, составом и видением являются творчеством в реальности, и мы можем насладиться этим сполна, *наяву*».

Контроль сновидений в итоге меняет отношение к миру. Может ли сюрреальное проникнуть в повседневную жизнь и внести в так называемый реальный мир толику чуда? В интервью Гвинет Кревенс, вышедшее в «Харперс мэгэзин» в феврале 1973 года, Карлос с удовольствием говорит о бессознательном способе создания книг: «(...) Я вижу книги во сне. (...) Вечером я ложусь рано, и мне снится то, о чем я буду писать. Тогда я просыпаюсь и могу проработать до утра. У меня в голове все выстроено в безупречном порядке, и мне нет нужды переписывать». Общие точки соприкосновения с сюрреалистами здесь явно налицо.

В «Путешествии в Икстлан» есть любопытный эпизод, где дон Хуан говорит о будущей смерти своего ученика: «Лучшее, что ты сделаешь в жизни, придется на ее конец. (...) Ты предпочитаешь умирающее, старое солнце, желтоватое и мягкое. Ты не любишь жару, а любишь свечение. Поэтому, когда явится за тобой смерть, ты будешь танцевать на этом холме до конца дня. (...) А твоя смерть будет сидеть здесь и смотреть на тебя. Заходящее солнце осветит твой лик, не обжигая, как сегодня. (...) Закончив танец, ты устремишь взор к солнцу, потому что никогда больше не увидишь его ни во сне, ни наяву. И твоя смерть укажет на юг, в бесконечность».

Значительная часть «Путешествия в Икстлан» посвящена «неделанию». Неделание означает отказ от приобретенных навыков: «Сотни и сотни раз дон Хуан шептал мне на ухо, что ключом к силе является «неделание» того, что я умел делать». Например, глядя на дерево, я сразу сосредоточивался на листве и никогда не смотрел на тень листьев или пространство между листьями».

И вот когда рассказ уже подходит к концу, внезапно, на 216-й странице, начинается вторая часть, озаглавленная «Путешествие в Икстлан»: «В мае 1971 года я в последний раз приехал к дону Хуану в качестве ученика».

Теперь основной собеседник Карлоса – дон Хенаро. Он рассказывает о дальней поездке в Икстлан, во время которой пережил опасные встречи с «союзниками»: «Когда и как вы приехали в Икстлан?» – спросил Карлос. Хуан и Хенаро расхохотались: «Так вот что для тебя конечный результат! – сказал дон Хуан. – Скажем так, у путешествия Хенаро никогда не будет конца. Он и сейчас на пути в Икстлан».

Значит, мы постоянно находимся на пути в Икстлан?

Автор без устали экспериментирует с переходами в другую реальность. Однако он ничего не курит и не глотает. Разве Анаис Нин не писала в своем «Дневнике», что наркотик является лишь предварительным этапом на пути к сновидению наяву?

Несмотря на загадочную и бессвязную композицию, «Путешествие в Икстлан» представляет собой совершенно необычное произведение. Кастанеда впервые формулирует теорию лжи. То, что раньше могло сойти за определенную мифоманию, теперь оправдано безусловными требованиями духовных исканий. Воин обязан стереть личную историю.

Но и это не все: автору не только нет дела до хронологии, его совершенно не волнует правдоподобие. Здесь Карлос как никогда входит в роль ученика. Разве подобное поведение совместимо с требованиями объективности в работе исследователя?

Однако выход третьей книги Карлоса совпадает с его утверждением в университетских кругах.

СТРАТЕГИЯ СТИРАНИЯ

Однажды в Мексике Кастанеда встречает Алехандро Ходоровского. Но стоит ли удивляться этому внезапному появлению? Режиссер, писатель и исследователь языка таро, Ходоровский также относится к породе людей, способных заинтересовать. Вот как он описывает место встречи: «Это был мясной ресторан, куда я зашел с одной мексиканской актрисой». Кастанеда сидел за несколько столиков от них в компании мужчины и женщины. Женщина узнала мексиканскую актрису и предложила запросто пообщаться: «Не крупного, но плотного сложения, с кудрявыми волосами и немного приплюснутым носом, Кастанеда имел крестьянскую внешность. Его можно было принять за официанта. Но стоило ему заговорить, он превращался в блестяще образованного принца (...). Мы побеседовали о совместном фильме про дона Хуана (...). Потом у него сильно разболелся желудок. Я вызвал такси, и Карлос уехал в отель. Больше я его никогда не видел».

Ходоровский встретил Кастанеду случайно. Отныне случайности суждено играть важную роль в жизни того, кто так остро чувствует предопределенность судьбы. Карлос верит в предзнаменования. Если он невзначай пытается до кого-то дозвониться, а линия занята, он вешает трубку и никогда больше не перезванивает. Воин должен быть неуловим.

Журналисты дерутся за встречу с ним. Пресса уделяет ему немало внимания. В частности, «Нью-Йоркское книжное обозрение» посвящает ему в октябре 1972 года большую статью. Профессор антропологии Карлтон-колледжа Пол Райсман пишет, что произведения Карлоса Кастанеды выходят за пределы традиционной антропологической науки: «Результатом для нас является весьма плодотворное сотрудничество, и, учитывая этот аспект работы, я полагаю, есть основание называть это наукой». Знакомя читателя с секретным языком дона Хуана, Карлос создает антропологическое произведение. «Во время чтения Кастанеды становится ясно, что дон Хуан учит нас тому, чем является мир *на самом деле.* (...)»[1]

Пол Райсман защищает не только истинность слов дона Хуана, но и научность подхода Карлоса. Эта твердая позиция не у всех вызывает одобрение.

---

1 Дэниел Ноэл. «Свет и тени Карлоса Кастанеды».

В ноябрьском номере «Нью-Йоркского книжного обозрения» за 1972 год Джойс Кэрол Оутс отвечает Райсману: «Мнение Пола Райсмана о трех произведениях Карлоса Кастанеды, хотя и высказанное умно и учтиво, меня совершенно ошеломило. (...) Возможно ли, чтобы эти книги не были вымыслом?»

Джойс Кэрол Оутс с наслаждением вкладывает персты в язвы. Очевидно, что сочинения Кастанеды относятся к беллетристике. Разве можно требовать от Бальзака, чтобы его персонажи существовали на самом деле? «(...) [Его книги] кажутся мне замечательным произведением искусства на тему, близкую Герману Гессе, о приобщении молодого человека к миру «иной» реальности». Джойс Кэрол Оутс замечает, что кастанедовский слог подчиняется законам романистики: «Диалоги написаны великолепно. Образ дона Хуана незабываем. Действие развивается, как в романе – напряженное ожидание, постепенное раскрытие персонажа...» Но можно ли верить в правдивость такой композиции?

В декабре 1972 года полемика разгорается с новой силой, когда Кастанеда дает ответ в журнале «Психология сегодня»: «Заявление о том, что я выдумал такого человека, как дон Хуан, просто поразительно. Вряд ли европейская интеллектуальная традиция, на которой я воспитан, могла способствовать созданию подобного персонажа»[1]. Нельзя не улыбнуться, слушая эти слова в свою защиту. Карлос не без юмора настаивает на своем «европейском» происхождении, которое «все объясняет». Но мы-то знаем, что на самом деле он родом из индейской Кахамарки.

Что известно о доне Хуане? В своей первой книге Карлос описал его как достойного представителя народа яки.

---

[1] Из беседы с Карлосом Кастанедой С. Кина в журнале «Психология сегодня», декабрь 1972 г.

Позднее он все меняет и называет своего героя одиноким кочевником. А теперь развивает новую теорию: «Я знаю троих колдунов и семерых учеников, но их еще больше. Если вы прочтете историю завоевания Мексики испанцами, то узнаете, что инквизиция пыталась уничтожить колдунов, потому что считала их порождением дьявола. Однако они существуют уже много веков. Большинство тех приемов, которым обучил меня дон Хуан, очень древние».

Значит, в конечном итоге, дон Хуан принадлежит к «тайному» сообществу, ведущему начало из глубины веков, вне племенной жизни? Эта новая идея, высказанная в то время, когда Карлос негласно формировал группу своих последователей, наводит на мысль, что с 1972 года он ориентируется на эзотерическую субкультуру. Миф о загадочном братстве, существовавшем вне индейской нации, слишком напоминает многочисленные слухи вокруг «Высших Неизвестных» или «розенкрейцеров».

Самое удивительное то, что сам преподаватель сохраняет критический взгляд на вещи, а содержание его книг намного выше привычных оккультных бредней. В материале, который «Психология сегодня» посвятила Карлосу в декабре 1972 года, Сэм Кин упоминает о недавно примкнувших адептах. Как писатель ощущает себя в роли «бродячего светоча»? «У меня действительно есть последователи, и у них странные представления обо мне. (...) Один приятель собрал все слухи на мой счет. Говорят, что у меня волшебные ступни (...), что я хожу босиком, как Иисус, и не натираю ноги. А еще я покончил с собой и умер в разных местах».

О семинаре в Ирвине Карлос вспоминает с юмором и иронией: «Студенты одного из моих курсов в университете чуть не лопнули с досады, когда я заговорил о феноменологии и приближении к реальности, об исследовании восприятия и социализации. Они ждали, что им велят расслабиться, настроиться на волну и разбить себе голову».

Он подчеркивает, что воину необходимо скрывать свое прошлое. Но все же соглашается кое-что рассказать: «Со времени моего рождения в Бразилии я проделал долгий путь. (...) Для меня настоящим умением является искусство быть воином, а это, по словам дона Хуана, единственный способ уравновесить ужас и восторг быть человеком».

По поручению журнала «Психология сегодня» 14 августа 1972 года с Кастанедой побеседовал Сэм Кин. По этому случаю график Ричард Оден сделал попытку зарисовать лицо Карлоса. С согласия художника Кастанеда частично стер портрет. И на страницах «Психологии сегодня» мы видим исчезающее лицо. Этот прием частичного стирания совсем не нов. В книге «Ученица колдуна» Эми Уоллес вспоминает, что Роберт Раушенберг поступил так же, нарисовав портрет Виллема де Кунинга. Показываясь и прячась, появляясь и исчезая, говоря неправду и делясь сокровенной истиной... Карлос играет с человечеством в прятки.

Круг его последователей растет с каждым днем. Восторженные ученики идут по следам учителя, приобщаясь к чудесному. Греза выходит за рамки повседневной жизни.

3 октября 1972 года Кэтлин Полманн подает заявление о смене имени на *Элизабет Остин*. Позднее она назовет себя *Кэрол Тиггс*. В том же году Беверли Мэдж Эмс сменит имя на *Беверли Эванс*. Теперь каждый готов стереть свое прошлое. Все хорошее и все плохое...

ГЛАВА 5

1973–1991. ПЕРИОД ЗАТМЕНИЯ

РАЗОБЛАЧЕННАЯ ЛОЖЬ

5 марта 1973 года журнал «Тайм» посвящает первую полосу Карлосу Кастанеде. По этому случаю изготовлена психоделическая обложка, достойная «Роллинг стоунз» и французского журнала «Актюэль», с ошеломляющим заголовком: «Карлос Кастанеда: магия и реальность».

Первая полоса «Тайм»... О большем нельзя и мечтать. Однако у этой медали есть и оборотная сторона. Став видным писателем семидесятых годов, Карлос выставил себя на всеобщее обозрение. Не повредит ли ему его многократно повторяемая ложь?

Во время встречи с журналисткой Сандрой Бартон он поет все ту же песню о несчастном детстве в Бразилии: родился в 1935 году в «известной» семье Сан-Паулу. Его рождение стало следствием неосторожности и нежелательной беременности. Отцу было всего семнадцать, а матери пятнадцать лет.

Из-за юного возраста родителей Карлос рос и воспитывался на ферме, принадлежавшей его семье, расположенной где-то «внутри страны». Когда Карлосу исполнилось шесть, родители взяли его к себе. Отец стал профессором литературы. Но когда мальчику исполнилось семь, его мать умерла. Отец отправил сына в пансион с очень строгими правилами в Буэнос-Айрес, в Аргентине. Там он прожил несколько лет, но проявил такую строптивость, что богатый дядюшка пристроил его в приемную семью в США. В 1951 году Карлос поступил в Голливудский колледж, потом учился в Академии изящных искусств в Милане. И наконец, в 1959 году поступил в УКЛА, взяв псевдоним Кастанеда.

Когда читаешь этот рассказ, поражаешься, как смело и бесстыдно врет Карлос одному из крупнейших еженедельных журналов Америки. И зря он это делает, потому что Сандра Бартон решает проверить его слова.

После тщательного расследования она разоблачает ложь Кастанеды. Впервые «настоящий» Карлос появляется в луче прожектора. Сандра Бартон раскрывает его истинную дату рождения. Она подробно описывает детство в Кахамарке, жизнь в Лиме, эмиграцию в Калифорнию. Она встречается с Хосе Бракамонте, с которым Карлос дружил в Лиме: «Мы все любили Карлоса (...). Он был веселый, душевный, прекрасный рассказчик – большой врун, но хороший друг». И Бартон делает вывод: «В одежде Карлос не любил выделяться – строгий костюм или спортивная куртка, в каких ходят многие. Настоящей одеждой Кастанеды были слова, которые текли из его уст беспрерывным потоком, насмешливые и завораживающие».

Досье пополняется новыми фактами, подтверждающими скрытность Карлоса. Эдди Адамс ветеран фоторепортажей. Кроме прочего, он делал репортажи во время войны во Вьетнаме. Кокетство Карлоса больше смешит его, чем раздражает: «Мы встретились где-то на границе Калифорнии с Мексикой. Он приехал в машине с трейлером. Внешне он мог сойти за кого угодно, только не за психоделического кумира. Он носил короткую стрижку, что в те годы бросалось в глаза. А в остальном – самый обыкновенный, низкорослый, с очень темной шевелюрой. Стали фотографироваться. Он попросил меня сделать так, чтобы его нельзя было узнать. Потом мы поехали в Мексику искать дона Хуана, но не нашли».

Предчувствовал ли Карлос, что однажды его ложь раскроется? С этой точки зрения «Путешествие в Икстлан» выглядит как страховка на случай разоблачения. В то время, как растущая популярность делает его доступным любому нескромному взгляду, автор сам заявляет, что необходимо стереть свое прошлое, чтобы вступить на путь воина. Однако, похоже, расследование «Тайм» застало его врасплох.

Надо сказать, что статья Сандры Бартон смутила прежде всего университетские круги. Больнее ударить было нельзя. Ведь Карлос собирается защищать диссертацию, не так ли?

Писатель, конечно, прибег к юридической защите. Кроме Неда Брауна, который остается его агентом и ведает его делами, Кастанеду защищают два именитых адвоката: Джером Уорд из компании «Уорд и Хейлер» и Александр Текер. Тем, кто на него нападает и высмеивает, лучше придержать языки.

Весной 1973 года он представляет докторскую диссертацию на рассмотрение небольшой комиссии, состоящей из Филиппа Ньюмена, Клемента Мейгана и Гарольда Гарфинкела. Как нам уже известно, диссертация Карлоса – это «Путешествие в Икстлан».

Университет полон слухами. Кое-кто из студентов организовывает публичные дебаты с целью установить, является ли Кастанеда мошенником. Но растущая численность противников Кастанеды уравновешивается огромным количеством его восторженных поклонников.

Октавио Паз становится своего рода модератором. Этот писатель заявил о себе важным произведением «Предшествующий взгляд», которое сначала вышло в Мексике в 1974 году, а потом облетело весь мир. Паз сразу осаживает критиков: «Признаюсь, что «загадка Кастанеды» интересует меня гораздо меньше его произведений. Тайна его происхождения – будь он перуанцем, бразильцем или мексиканцем – мне кажется пошлой по сравнению с тайнами его книг». Что думать о произведении, которое попирает литературные жанры? Октавио Пазу важно не ставить штамп на книгу, чтобы сохранить ее самобытность: «Если книги Кастанеды – литературный вымысел, то они весьма необычны: сюжетом является поражение антропологии и торжество магии; если же это антропологический труд, они не менее странны – объект антропологического исследования (маг) мстит антропологу и превращает его в колдуна. Это антиантропология».

Помимо прочего, Паз затрагивает деликатную тему наркотиков. По его словам, они позволяют активно и конкретно критиковать повседневную жизнь: «У галлюциногенов двоякое действие: они подвергают пересмотру одну реальность и предлагают нам другую. (...) Видение *другой* реальности зиждется на обломках *первой*. Уничтожение повседневной реальности – результат того, что можно было бы назвать чувственной критикой мира. В области чувств это то же самое, что рациональная критика реальности».

Кастанеда подвергает критике консенсуальную реальность. Такая практика расчленения подобна разорвавшейся бомбе: «Другая жизнь рядом. Она одновременно там и здесь, иная реальность – это повседневный мир. В центре этого мира подобно осколкам стекла в пыли и мусоре на заднем дворе сверкают врата в иной мир».

Карлос Кастанеда получает докторскую степень в 1973 году.

Летом в гостях у Неда Брауна он знакомится с писателем, автором многих бестселлеров Ирвингом Уоллесом. Уоллес не читал ни строчки из Кастанеды. Однако между ними проскочила искра. За столом Карлос чрезвычайно оживлен. Он высмеивает своего агента, который не читал его книг, чтобы не иметь о них мнения, а также Майкла Корду, который донимает его вопросом: правда ли, что он все выдумал, или нет? Рядом с Кастанедой красивая девушка Мэриэн Симко, известная под именем *Анна-Мария Картер*. Она студентка УКЛА и принадлежит к узкому кругу близких друзей.

Несколько дней спустя вся семья Уоллес снова приглашена к Неду Брауну. Дочери Ирвинга Уоллеса, Эми, семнадцать лет. Эта хорошенькая и уже довольно образованная хиппи очень интересуется книгами Кастанеды. Тот, в свою очередь, проявляет к девушке интерес. Весь вечер он пожирает ее глазами и ловит каждое слово из ее рассказа о студенческой жизни. За ужином он упражняется в самоиронии. Охотно щеголяет нецензурными выражениями, вставляя в свою речь звонкое и озорное *carajo* («член»)...

На следующей неделе после дружеской трапезы Эми Уоллес получает экземпляр «Отдельной реальности» с трогательной надписью: «Эми Уоллес с наилучшими пожеланиями. Как сказал дон Хуан, «Путь к свободе – это иногда шепот на ухо». Карлос Кастанеда».

Подарок удивил девушку. Эми дочь известного писателя и знакома с издательской кухней. Она обратила внимание, что на письме Карлос изъясняется тяжелым шероховатым слогом. В книге воспоминаний «Ученица мага» Эми задает неожиданный вопрос: могло ли быть, что Карлосу Кастанеде помогали писать, т.е. переписывали за ним, а его рукописи подвергались «чистке»? Как бы там ни было, в 1973 году у Карлоса и Эми завязываются необычные отношения, они будут дружить много лет, пока дружба не перейдет в страстную мучительную любовь.

Познакомившись с юной Эми Уоллес, Карлос Кастанеда окончательно порывает с Маргарет Раньян. Осенью 1973 года он официально подтверждает их мексиканский развод у местных властей. Страница перевернута.

Во время одной из последних телефонных бесед Маргарет напоминает Карлосу, что скоро его день рождения. Ответ поверг ее в изумление: «У меня больше нет дня рождения».

Кастанеда как никогда раньше пытается стереть свое прошлое. Но можно ли без конца отталкивать воспоминания?

В том же году писатель покупает в квартале Вествуд красивый дом по адресу 1672, Пандора-авеню. Выбор пал на Вествуд отнюдь не случайно. Это тенистый жилой квартал, расположенный неподалеку от университетского городка УКЛА. Здесь царит одновременно буржуазная и богемная атмосфера. Домик напоминает испанские постройки. Двери в сад постоянно открыты, как в деревне. Украшения самые скромные, никакой внешней роскоши. Кастанеда выбрал скромный образ жизни.

Поселившись в нескольких кабельтовых от университета, который вывел его в люди, прежде всего он тем самым подчеркивает свою привязанность к нему. В Вествуде он проживет до самой смерти в 1998 году.

«СКАЗКИ О СИЛЕ», ИЛИ КОНЕЦ ЦИКЛА

Среди всех книг Карлоса Кастанеды «Сказки о силе» считаются самой напряженной, лиричной и самой насыщенной. Некоторые считают ее своего рода апофеозом. Что еще можно написать после такого успеха?

Эта книга завершает тетралогию. Она заканчивается волнующим описанием «исчезновения» дона Хуана после эксперимента со смертью и воскрешением. Как следует воспринимать такую трагически-романтическую и философскую развязку? Действительно ли индеец *умер* в 1973 году? В «Колесе времени» Карлос подтверждает это: «Сказки о силе» отмечают мой полный провал. В период, описанный в книге, я переживал тяжелый кризис (...). Дон Хуан только что покинул этот мир, оставив четверых учеников, предоставленных самим себе».

Что же, в конечном итоге, известно о смерти дона Хуана? Он растворился в тумане. Хотя, возможно, никогда из него и не возникал...

Книга рассказывает о последнем этапе обучения, проходившем осенью 1971 года, когда Карлос начинал свою преподавательскую работу в Ирвине.

Произведение очень насыщенное и глубокое. Каждое слово, кажется, содержит в себе тайный смысл. На первых страницах дон Хун порицает употребление психотропных растений. Кастанеда пользовался ими потому, что был «заторможен» и не мог самостоятельно выйти за пределы чувственного мира. В конечном счете, наркотик – средство для дураков.

Разговор очень быстро переходит на высокие материи: «Тебе известно, что в этот самый момент ты окружен вечностью?» – спрашивает дон Хуан. Имеется в виду, что необходимо ощутить тысячи граней реальности: «Мы – светящиеся существа, – сказал он, ритмично покачивая головой, – а для светящихся существ важна только личная сила».

Эта пресловутая сила не имеет ничего общего с честолюбием. Она состоит в повышении уровня сознания:

«Изменить наше представление о мире – вот ключевой момент магии».

Чтобы изменить видение, надо помимо прочего «прекратить внутренний диалог». В этом приеме нет ничего нового. Он напоминает способ, который советуют великие христианские мистики. Остановить поток мыслей, сосредоточиться на пустоте, достичь безмолвия души и очутиться один на один с пустыней... Здесь дон Хуан соперничает с Сан-Хуаном де ла Крусом, которым зачитывается Кастанеда.

Знание не может возникнуть благодаря дедуктивному рассуждению. Оно раскрывается по мере визуализации. Или лучше сказать, оно возникает из глубины словесного ритма: «Знание – это ночная бабочка», – говорит дон Хуан, выводя формулу, под которой подписались бы Гераклит и Рене Шар: «Мы – восприимчивые существа. Мы являемся сознанием, а не предметами, в нас нет твердости. Мы ни к чему не привязаны. Мир предметов и твердых тел нужен лишь для того, чтобы облегчить наш путь на земле».

Твердый мир – иллюзия. Волокна света. Газообразность.

По причинам, известным лишь ему одному, дон Хуан ведет Карлоса в центр города Сонора. Обучение впервые происходит на городском фоне.

Старик рисует карту реальности, впервые употребляя термины «тональ» и «нагваль».

Тональ означает «бытие» в том смысле, который ему придает Хайдеггер. Это все, что существует, – я, Бог, локомотив, город, небо, булыжник. Этот мир упорядочен: «Тональ устанавливает правила, следуя которым, он постигает мир». Тональ – это бытие, но в то же время и сознание бытия, внешнее проявление, воплощение. Тональ – видимая часть, воплощение, проявление.

А что же такое нагваль? «Нагваль – та часть нас, для которой не существует (...) слов (...)». Нагваль – за пределами бытия, это бессознательное, невыразимое, невидимое. Является ли нагваль существом? Кастанеда стирает разницу между субъектом и объектом. Нагваль – одновременно часть каждого человека и нечто необъяснимое, скрытое в дальнем уголке видимого. Это – запредельный мир, сущность, ничто.

Пара тональ–нагваль упоминается впервые. Являются ли эти термины выдуманными?

В книге «Смертельный цветок» Кристиан Дюверже объясняет, что ацтекские слова с корнем «тона» означают жару, солнце. Например, слово «тоналли» значит солнечное тепло, лето. Как подчеркивают Венсан Барде и Зено Биану в книге «Опыт шаманов и современность»: «Очень может быть, что загадочный тональ, о котором говорит дон Хуан, соответствует ацтекскому тоналли».

Конечно, если понимать это как символ. Летняя жара подразумевает проникновение солнечных лучей, то есть связь с космосом. Можно ли в данной связи считать тоналли одним из воплощений божественного слова?

Нагваль также окружен тайной. Не существует ли некой родственности между термином «нагваль» и словом «науатль», границы которого изо всех сил пытается очертить Жорж Бодо в книге «Письменность до Колумба»? «Говоря о языке, культуре или литературе науатль, мы подразумеваем древних мексиканцев». Науатль – языковое пространство, в котором, в том числе, существует народ ацтеков. Сегодня мы знаем, что слово «ацтек» датируется девятнадцатым веком. Однако многие исследователи, говоря об ацтеках, употребляют термин производный от науатль – науа.

Таким образом, возможно, слово «нагваль» относится к языку науатль, так же, как и к цивилизации науа.

Однако в своей книге «Учение дона Карлоса» Виктор Санчес предлагает другую версию. По его мнению, диптих тональ–нагваль отсылает нас к слову «Ометеольт»: «В пантеоне науа Ометеольт (от «теольт» – боги и «оме» – два), бог двойственности – одновременно мужчина и женщина, день и ночь и т.д. Его воплощением является Тонакатекутли – владыка всего земного, первое существо, кто своим дыханием разделил небесную воду и земную».

И все-таки описание Кастанеды отличается от доколумбовой космологии. Ометеольт и тоналли не раскрывают тайну острова тональ, окруженного океаном нагваль. Способность видеть позволяет достичь нагваля. Но маг прежде всего должен расчистить путь сквозь абсурдность».

Дон Хуан подчеркивает роль, выпавшую дону Хенаро.

Хуан выступает своеобразным учителем Карлоса. Его задача – чистить, прочищать и соединять тональ.

Что же касается Хенаро – он хозяин другого мира. Благодетель, указывающий путь к нагвалю.

Последняя часть книги полностью посвящена эксперименту по выходу из тела. В этой связи дон Хуан говорит об «объяснении магов»: «Тайна или секрет объяснения магов состоит в том, чтобы расправить крылья восприятия».

Карлос решается на опасный эксперимент. Раздевшись донага, он бросается в пропасть. Во время падения его «я» распадается: «Потом моя голова лишилась своего веса, и от меня остался всего лишь квадратный сантиметр, мелкий осадок, похожий на камень. Все мои чувства были заключены в нем; потом он словно взорвался, и в то же мгновение я распался на тысячи частей. (...) Я превратился в сознание».

Через несколько секунд он вновь очутился на скале. Но, чтобы «развернуть крылья восприятия и коснуться одновременно тоналя и нагваля, снова нужно прыгнуть (...)».

Таким образом, каждый прыжок ведет его все дальше и дальше по пути к нагвалю. Карлос готовится к заключительному прыжку. Последний прыжок будет совершен с Хуаном и Хенаро. Но оба учителя не вернутся: «Теперь мы станем пылью на дороге, – говорит дон Хенаро, обращаясь не только к Карлосу, но и к другому ученику, Паблито. – Может, когда-нибудь она попадет вам в глаза».

Час последнего прыжка совпал с сумерками, «трещиной между мирами»: «Дон Хуан и дон Хенаро отдалились и, казалось, слились с темнотой. Паблито взял меня за руку, и мы попрощались. Затем странный порыв силы погнал меня вместе с ним к северному краю плато. Я чувствовал его руку, когда мы прыгнули, а потом я был один».

Совпадает ли прекращение ученичества Карлоса с физической смертью дона Хуана? Автор употребляет слово «один». Карлос больше не может рассчитывать на своего учителя. Ему придется самому расчищать путь к нагвалю.

«Сказки о силе» – это в конечном итоге рассказ о воскресении. Старик умер. Карлос подхватит эстафету и, в свою очередь, станет магом. Отныне он сирота.

Книга вышла в октябре 1974 года. 27 числа Эльза Фёст публикует в «Нью-Йорк таймс» статью под заголовком «Дон Хуан для Карлоса Кастанеды то же, что Карлос Кастанеда для нас»: «Перед публикацией «Сказок о силе» в Беркли рассказывали историю о том, как Карлос Кастанеда ездил недавно к Йоги Чену, старому китайцу, проповеднику эзотерического буддизма, считавшегося чем-то вроде местного святого. Говорят, Кастанеда поведал Йоги Чену, что пытается создать собственного двойника. Не владеет ли Чен подобными приемами? Конечно, ответил Чен. Существуют способы создания до шести двойников. «Только зачем это нужно? Проблем станет в шесть раз больше».

Если Эльза Фёст принадлежит к числу горячих поклонников Кастанеды, то Джойс Кэрол Оутс на страницах «Психологии сегодня» отзывается о нем совсем иначе. Не умаляя литературного таланта Кастанеды, писательница по-прежнему продолжает сомневаться в реальности дона Хуана: «Нельзя не задаваться вопросом: "Кто такой дон Хуан? Почему он разговаривает разными голосами и выражениями?" Я думаю, что Кастанеда скорее пытается преподать своим читателям некие главные истины и использует все средства, чтобы объяснить необъяснимое».

Тетралогия завершается грандиозным прыжком в пустоту, который каждый волен понимать по-своему. Разве не похоже это на притчу и не напоминает ли это прыжок ангела? Эпиграфом к книге стали слова Сан-Хуана де ла Круса:

Одинокая птица должна соблюсти пять условий:
Прежде всего, летать, по возможности, выше;
К обществу ничьему не стремиться,
Даже подобных себе;
Клюв ее пусть направляется в небо,
Пусть не имеет она определенной окраски;
И, наконец, пусть поет очень тихо.

Могло ли статься, что загадочный дон Хуан читал стихи Сан-Хуана?

СТЕРЕТЬ ПРОШЛОЕ

По всей вероятности, досье, опубликованное в журнале «Тайм», наметило перелом в отношениях Кастанеды с журналистами. С этих пор Карлос ведет себя с представителями прессы совсем иначе. Конечно, он и прежде не был особенно словоохотлив. Но и не избегал появлений на публике. Разве не подписывал он свои книги в разных магазинах и не выступал на многих конференциях перед аудиторией, приводя в замешательство своим внешним видом?

После выхода «Сказок о силе» в 1974 году он становится практически недосягаемым. А поскольку не представляется возможным его увидеть, жизнь Кастанеды начинает обрастать мифами. Может, он превратился в мага, о котором говорится в его книгах? После кончины писателя в 1998 году «Эспрессо» назовет его «более недосягаемым, чем Томас Пинчон, и более неуловимым, чем Дж.Д. Сэлинджер».

Пинчон и Сэлинджер... Символичные имена. Карлос Кастанеда отныне вступает в ряды самых загадочных писателей, чьи произведения будоражат американскую литературу. Он больше не дает интервью, уходит в подполье, маскируется и отказывается от участия в конференциях.

О нем ходит бесчисленное множество самых разнообразных слухов:

– он погиб в автокатастрофе;

– он признался на лекции в Гарварде, что все его книги преступны;

– он уехал в Бразилию и заперся там на ферме своего дедушки;

– он – агент правительства и участвовал в сверхсекретном проекте по контролю за сновидениями;

– он долго лечился в медицинском центре психиатрических исследований УКЛА...

Ложные свидетели и настоящие мифоманы кудахчут наперебой. На кого он работает? Где он в данный момент находится? Почему он прячется и от кого скрывается? Может, он из ЦРУ? Кто-нибудь его видел?

Кастанеда неожиданно вновь показывается на людях 5 мая 1974 года, во время визита к индийскому мудрецу, который пользуется в США огромной популярностью как хранитель древних традиций – Свами Муктананда.

На самом деле жизнь этого святого из Индии говорит сама за себя. Муктананда родился в 1908 году, а в 1970-м его «обнаружил» американский гуру, друг и коллега Тимоти Лири – Ричард Элперт, он же Баба Рам Дасс. Будучи возведен в сан святого с помощью Рам Дасса, Муктананда за короткое время собирает вокруг себя множество хиппи. Его учение по медитации «сиддха йога» быстро распространяется в США. В скором времени Свами Муктананда становится руководителем тридцати одного ашрама[1] и центров медитации, разбросанных по всему миру. Этот маленький бородатый человечек в оранжевых одеждах путешествует только на частном реактивном самолете и в черном лимузине. В числе его многочисленных поклонников семидесятых годов будущий губернатор Калифорнии Джерри Браун, а также известные певцы Джон Денвер, Джеймс Тейлор и астронавт Эдгар Митчелл. Что же касается координатора большого ашрама в Окленде, им является не кто иной, как бывшая руководительница «Блэк пантер пати» – Эрика Хаггинс.

Свами Муктананда борется за чистоту традиций йоги. Однако, по свидетельству некоторых учеников, Муктананда злоупотребляет своим положением, соблазняя молоденьких девушек, живущих в ашрамах. Так утверждает бывший руководитель группы Майкл Динга. По его словам, Муктананда обольстил десятки молодых учениц, которые не осмелились отвергнуть ухаживания то-

---

[1] Монастырь в Индии.

го, кого считали святым, проповедовавшим воздержание. Гуру скончается в 1982 году от остановки сердца.

Вернемся к 5 мая 1974 года, когда состоялась встреча, устроенная Кэти Спит и Клаудио Наранхо. Она произошла в стенах ашрама, расположенного в Пидмонте, штат Калифорния. Джинендра Джейн выполняла роль переводчицы.

Читая запись беседы, понимаешь, что Кастанеда держится с индийцем на равных: «У дона Хуана за всю жизнь было всего двое учеников, один из которых я. И они пришли к нему, только когда он достиг весьма почтенного возраста – восьмидесяти лет», – поведал он с самого начала.

Кто этот второй ученик дона Хуана? Наверное, речь идет о Паблито, который прыгает в пустоту вместе с Карлосом в конце книги «Сказки о силе».

Муктананда желает узнать больше об этом духовном наставнике, чье учение отнюдь не чуждо индийской традиции: «Дон Хуан по-прежнему жив?» Не колеблясь ни секунды, Карлос воскрешает мертвеца: «О да!» Муктананда предлагает устроить с ним встречу. Однако его собеседник увиливает: «(...) Он никогда не ездит (в Соединенные Штаты). Он очень любит путешествовать, но никогда не покидает Мексику».

Очевидно, что в начале семидесятых годов «судьба» дона Хуана еще не решена. Учитель «исчез» в 1973 году. Объявится ли он вновь или продолжит пребывать в нагвале?

В октябре 1974 года Институт нейропсихиатрии Лос-Анджелеса организует частную конференцию. Докладчиком на этой необычайной лекции приглашен не кто иной, как Карлос Кастанеда. Конференция сразу становится своего рода событием. О ней объявляют лишь за двадцать четыре часа до начала. Однако в назначенный час в поточной аудитории, рассчитанной на триста мест, яблоку негде упасть. В зале только профессора и исследователи. Молодой выпускник математического факультета Джим Гауэр присутствует при этом событии: «Для меня Кастанеда был такой же легендой, как Лакан или Деррида», – вспоминает он с ностальгией.

Кастанеда говорит в течение девяноста минут без бумажки. «Из его слов вырос целый собор. Это была лекция философа, эпистемолога. (...) В его одухотворенной речи звучало эхо постструктурализма», – рассказывает Джим Гауэр. Кастанеда объясняет, что реальность можно постигать на разных уровнях. Культура и идеология тормозят наше восприятие. Конечная цель его книг – освободить взгляд. Джим Гауэр бесконечно восхищается Кастанедой. Однако замечает: «Я не могу отделить чувства, которые испытал на конференции от тех, с которыми зачитывался его книгами. Главным мне казалась их поэтичность».

Поведение Карлоса странно и парадоксально. В 1974 году он становится популярнейшим писателем, пишущим на английском языке в жанре, граничащем с поэзией, философией, эзотерикой. Теперь он мог бы сорвать лавры и в традиционной литературе. Университет и интеллигенция у его ног.

Но Кастанеда выбирает извилистый путь. Он упорно цепляется за антропологический репортаж, удаляется от мира и сближается со многими «духовными наставниками», которые осаждают западное побережье.

В 1976 году он навещает одну «эзотерическую» писательницу. Каробет Лэрд долгое время была подругой вождя индейского племени чемегуевис и много лет жила «первобытной» жизнью.

Примечательна также встреча с доминиканским монахом, приехавшим из Франции. Автор многочисленных произведений и главный редактор журнала «Священное искусство» Морис Коканьяк очарован и увлечен индейскими шаманами и всем, что с ними связано. 13 января 1976 года в Мексике один журналист знакомит его с Карлосом Кастанедой. Вместе они посещают археологические раскопки в Туле. В дальнейшем между ними завязывается энергичный, насыщенный диалог.

Похоже, Карлос Кастанеда окончательно повернулся в сторону писателей и деятелей различных видов духовной сферы. В то же время он отдаляется от литературных кругов Америки, в которых занимает прочное, хотя и особое место.

В 1976 году он еще участвует в сеансе автографов, чтобы помочь библиотеке Лос-Анджелеса. Его появление там совершенно неожиданно. Сын Ирвинга Уоллеса и брат Эми, Дэвид Уоллес, присутствует при этом событии. Едва завидев его, Карлос усаживает молодого человека рядом с собой и делится своими бедами под восхищенными взглядами окруживших поклонников. Он говорит, что уход дона Хуана глубоко его опечалил. Что он ищет нового наставника, но не находит. Затем Карлос рассказывает историю, одновременно забавную и отвратительную. Недавно он виделся с одним индийским гуру, и тот вдруг ни с того ни с сего брызнул в него какой-то непонятной жидкостью из затейливой склянки. Кастанеда с ужасом обнаружил, что то была «священная моча» учителя. Увы, эта живительная влага испортила его костюм. Хорошо еще гуру оплатил счет химчистки. Однако, рассказывая ту же историю Морису Коканьяку, Кастанеда назвал загадочную жидкость розовой водой, которую учитель разбрызгивал перечной веткой[1].

---

[1] Морис Коканьяк. «Встречи с Карлосом Кастанедой и знахаркой Пачитой».

В то время как Кастанеда все больше отдаляется от литературных кругов, в 1976 году одна за другой выходят две книги, призванные заранее разоблачить новоиспеченный миф.

В книге «Увидеть Кастанеду», название которой было переведено на французский как «Свет и тени Карлоса Кастанеды», Дэниел Ноэл пытается унять страсти. Прежде всего, Кастанеду нужно принимать всерьез: «Алан Уоттс обычно обезоруживал академических критиков, заявляя, что его не стоит принимать всерьез, и называл самого себя «философ-затейник» (...). Положение Кастанеды и его книги о доне Хуане навязывают похожее отношение». Такая дружелюбная позиция не исключает критики.

На самом деле книга методично уничтожает легенду. Среди прочего автор задается вопросом о том, что представляют собой произведения Кастанеды. Репортажи это или вымысел? Ноэлю нравится, что Карлосу невозможно приклеить ярлык. Возможно, в этом его настоящая ценность. Так же, как он, говоря неправду, предстает в неожиданном свете, его произведения заставляют задуматься о грани между вымыслом и реальностью. Карлос отказывается считать свои произведения плодом фантазии. Он настаивает на «другом» взгляде на окружающий мир. Там, где я увижу, как задрожит куст, он заметит «союзника», а то и существо из нагваля. Из чего опять-таки следует вывод, что в конечном итоге его реальность выглядит вымыслом. Дэниел Ноэл цитирует поэта Уоллеса Стивенса: «Мир – не то, чем кажется. Он соткан из множества реальностей, которые его наполняют».

В основном книга состоит из анализа ранее написанных статей, где Уэстон Лабарр, Пол Райсман, Джойс Кэрол Оутс и Рональд Сакеник оценивают серьезность произведения, каждый по-своему подчеркивая его значимость. Во многих отношениях книга-досье Дэниела Ноэла остается лучшим произведением, когда-либо опубликованном об этом любопытном писателе.

Сын киноактера Сесила де Милла, Ричард де Милл, в свою очередь выпускает в 1976 году книгу «Путешествие Кастанеды, сила и аллегория». В то время как Дэниел Ноэл проводит блистательный анализ, Ричард де Милл строит из себя детектива и начинает кропотливое расследование. Он сразу предупреждает: «Я не фанат бестселлеров, разной дешевой мистики, наркотиков, кактусов и индейцев. У меня и без того хватает книг для чтения, и я преспокойно дожил до весны 1975 года, не прочитав ни строчки из Кастанеды». Де Милл заявляет свою позицию. Ведя журналистское расследование, он хочет проникнуть в тайну человека, о котором знает только из газетных статей.

В конечном итоге «Путешествие Кастанеды» представляет собой субъективную оценку, выраженную языком насмешки. Автор то и дело высмеивает дона Хуана. Читатель узнает много нового. Но книга оставляет неприятное впечатление. Откуда столько ненависти? Для чего этот псевдокомичный тон и постоянная ирония?

Дэниел Ноэл и Ричард де Милл... Две книги, два разных подхода, объединенные схожим желанием изучить произведение, которое просто невозможно оставить без внимания.

В семидесятые годы движение хиппи слабеет и идет на убыль. Как грибы после дождя появляются «учителя», подобные тем, что когда-то так восхищали Маргарет Раньян. Возможно, и Карлос займет свое место на этом изменчивом небосклоне?

«ВТОРОЕ КОЛЬЦО СИЛЫ», ИЛИ КНИГА ЖЕНЩИН

В ноябре 1977 года «Второе кольцо силы» знаменует возвращение писателя, молчавшего в течение трех лет. Сразу становится очевидно, что Кастанеда не изменил своей столь необычной поэтике. От книги к книге он держит марку и изображает себя скромным летописцем неощутимой реальности. Такое постоянство не может не удивлять. Наперекор всему он упорно продолжает свою невероятную головокружительную повесть.

Это вызывает всеобщее недовольство. Разве предположительная смерть дона Хуана не явилась концом этого необычного произведения? «Второе кольцо силы» во многих отношениях ставит в тупик и сбивает с толку.

Уже само название, кажется, предназначено для «посвященных». В первую очередь необходимо его пояснить. В «Сказках о силе» дон Хуан увлекает нас в царство восприятия: «(...) Мы – чувство, и (...) то, что мы называем телом, – пучок светящихся волокон, имеющих сознание».

Что думать о подобном видении? Что его создали психотропные грибы, или речь идет о революции восприятия? В книге «Путешествие Кастанеды» Ричард де Милл говорит, что описание человека в виде яйца из световых волокон взято у английского йога Рамахарака, он же Уильям Уолкер Эткинсон. В книге «Четырнадцать уроков философии йоги и восточный оккультизм», опубликованной в 1903 году, можно найти исчерпывающее описание яйца.

Дон Хуан дает более пространное описание теории волокон: «Мы, светящиеся существа, родились с двумя кольцами силы, но можем использовать только одно из них, чтобы создать мир». Каждое кольцо представляет собой некую категорию. Одно заключает в себе разум, который позволяет создать мир, и управляет тоналем. Другое кольцо – воля, которая помогает достичь нагваля.

Таким образом, «Второе кольцо силы» посвящено нагвалю. Никого не удивляет, что уже в самом начале книги Карлос оказывается в конце дороги: «Я стоял в месте, где асфальт неожиданно обрывался».

Хуана и Хенаро теперь нет. Их заменили женщины. «Второе кольцо силы» можно назвать книгой женщин. В ней мы встречаем необычную теорию женственности. Женщины названы воинами ветра, часто не способными управлять своей силой. Подобно четырем ветрам Карлоса окружают четыре женщины. Одна из них, донья Соледад, предстает полностью обнаженной. Далее во время наполовину любовного поединка Карлос замечает «бледное свечение», идущее от ее лобка. Это свет силы.

Что же это за женщины, которые появляются в книгах Кастанеды с 1977 года? Имеет ли автор в виду уже сложившийся круг людей? Нам известно, что некое объединение существует по меньшей мере с 1971 года.

Фигурально выражаясь, под влиянием Карлоса находится много женщин, а также несколько мужчин. Среди адептов следует выделить совсем юную девушку Патрисию Ли Патин. 23 января 1977 года она вышла замуж в Лас-Вегасе за некоего Марка Вуда Силлифента. Ей нет и двадцати. Со своей стороны, Силлифент уже несколько лет входит в число приближенных Карлоса. Он брат голливудского сценариста Стерлинга Силлифента, который также страстный поклонник Кастанеды. Стерлинг готовится к съемкам фильма «Учение дона Хуана». Однако проект так и не увидит свет. Похоже, начиная с 1977 года Патрисия Ли Патин очень тесно общается с Кастанедой.

К той же группе принадлежат Беверли Мэдж Эймс, Реджин Тол, а также Мэриенн Симко и Кэтлин Полманн.

Мэриенн Симко была «завербована» Мэри Джоан Баркер. Очень скоро она становится самым ярым «доктринером» среди учеников Кастанеды. Именно она познакомит Карлоса с Реджин Тол. А та приведет Кэтлин Полманн, хрупкую и нежную молодую женщину...

5 сентября 1974 года Карлос Кастанеда, Мэриенн Симко, Реджин Тол, Беверли Мэдж Эймс и Мэри Джоан Баркер открывают фирму «Герменевтикс», целью которой является «производство документальной этнологии». Параллельно существует другая компания, «Толтек артистс». Ее создатель – Трейси Крамер, новый агент Карлоса. В отличие от Неда Брауна, Крамер входит в число адептов Кастанеды. На самом деле «Толтек артистс» – его артистическое агентство. Таким образом, Карлос заложил легальную основу для управления дивидендами, приобретения недвижимости и постоянного наращивания капитала.

24 сентября 1975 года этот мечтатель, твердо стоящий на земле, составил завещание, отписав всю недвижимость Мэри Джоан Баркер, Мэриенн Симко, Беверли Мэдж Эймс и Реджин Тол.

Символический жест. Отныне Кастанеда окружает себя «гаремом»? Каковы истинные отношения, связывающие его с этими женщинами, самой старшей из которых едва исполнилось тридцать?

Нам известно, что с 1973 года он живет в доме в Вествуде. Там же живут многие его последователи: Мэри Джоан Баркер, Мэриенн Симко, а также Реджин Тол. Сказать по правде, состав «женской свиты» постоянно меняется.

Стоит ли попытаться всех подсчитать? В 1977 году «гвардия приближенных» состоит из Патрисии Ли Патин (будущей *Нури Александер*), Марка Вуда Силлифента (будущего *Ричарда Ролло Уиттекера,* а также *Марка Остина*), Трейси Крамера (будущего *Джулиуса Ренарда*), Беверли Мэдж Эймс (будущей *Беверли Эванс*), Кэтлин Эдер Полманн (будущей *Кэрол Тиггс*), Мэриенн Симко (будущей *Таишы Абеляр*), Маргареты Нието, Глории Гарвин и Реджин Тол (будущей *Флоринды Доннер-Грау*), не считая Мэри Джоан Баркер, его «официальной» подруги со времен развода в 1960 году.

Подражая Карлосу, все стараются уничтожить собственное «я», меняя имена на псевдонимы, уничтожая личные бумаги, сжигая детские фотографии, порывая с семьей и друзьями.

Во «Втором кольце силы» Карлос в том числе долго беседует с женщиной по прозвищу Ла Горда. Но существует ли она на самом деле? Этому нет никаких доказательств. Возможно, Карлос сознательно создает собирательный образ. По его просьбе Глория Гарвин иногда отвечает на телефонные звонки от имени Ла Горды. Этот человек настоящий пожиратель женщин. Что касается Глории Гарвин, она внесет свой вклад в написание коллективной книги под руководством Уильяма Клюлау-младшего «Четыре этюда наскальной живописи», которая выйдет в издательстве «Баллена». Ее глава будет называться «Шаманы и символы в наскальной живописи».

На страницах книги Кастанеда упоминает ребенка, которого он когда-то горячо любил. И ему на память приходят слова дона Хуана, произнесенные перед знаменитым прыжком в нагваль: «Ты любил его, ты развивал его ум, ты желал ему добра, теперь ты должен его забыть (...)».

Может быть, этот мальчик Карлтон Джереми? Правомерно ли делать вывод, что, завещав все четырем женщинам, Кастанеда лишил его наследства?

Во «Втором кольце силы» сформулирован новый постулат: «Все мы – толтеки». В памяти сразу возникает название фирмы Трейси Крамера «Толтек артистс».

Что же такое толтек? На это дает ответ ученик Паблито: «(...) Толтек – получатель и хранитель тайн».

Карлос признает свое замешательство: «Употребление им слова «толтек» озадачило меня. Я знал его значение только применительно к этнологии. В ней он всегда относится к культуре народа, говорящего на языке науатль, жившего в центральной и южной Мексике, но уже исчезнувшего в эпоху конкисты».

Толтеки действительно относятся к языковой семье науатль, в той или иной степени распространенной в современной Мексике. Империя толтеков возникает в X веке. Ее столица в городе Тула. К XII веку цивилизация толтеков угасает. Таким образом, толтеки стали предшественниками ацтеков, которые появляются в XIII веке и исчезают после прихода испанских завоевателей в 1521 году.

Все это отсылает нас к тайне происхождения дона Хуана. Вначале Карлос называл его представителем народа яки. Отражая непрерывный огонь критики, он поясняет позднее, что старик просто кочевник. Отныне он – результат уничтожения культур. Однако в 1972 году автор заявляет, что его персонаж ведет свой род со времен, предшествующих колонизации. Это придает старику таинственный эзотерический ореол, далекий от всякого научного подхода.

Упоминание о толтеках – апогей этой эволюции. История уступает место мифу.

Каждый член «группы» фактически становится представителем загадочного народа толтеков, якобы выжившего в строжайшей секретности. «Толтек» – ключевое слово, означающее магов.

«Второе кольцо силы» знаменует переход к новому циклу. Дон Хуан исчез, осталась только группа, причисляющая себя к таинственному сообществу толтеков.

Автор много рассуждает об «искусстве видящего сны», определяя его как «внимание». Первое кольцо силы – это внимание тоналя, которое состоит в способности «упорядочить наше восприятие повседневного мира».

Второе кольцо силы – внимание нагваля, то есть «способность магов поместить сознание в необычный мир».

Чтобы добиться этого управления нагвалем, необходимо учиться искусству сновидения. Видеть сны в понимании Кастанеды – значит влиять на бессознательное, стать его повелителем. Эта теория уже была развита в «Путешествии в Икстлан».

Теория сновидения Кастанеды совершенно отличается от теории Фрейда. Согласно Фрейду, бессознательное – это то, что от нас ускользает. У Кастанеды, напротив, бессознательное – лишь предварительная ступень. Им можно овладеть с помощью искусства управления сном.

Ссылка на Фрейда может быть вполне оправдана. В «Нью-Йорк таймс» от 22 января 1978 года Роберт Блай прибегает именно к психоанализу. Почему женщин нет в первых четырех произведениях и что означает пятая книга, где женщины играют такую зловещую роль? «Во «Втором кольце силы» женщины страшные, пустые и жадные до силы: донья Соледад хочет убить Кастанеду, чтобы завладеть его «сиянием». Все женщины алчны. Сексуальные сцены, в которых мы видим, как женщина грузно наваливается на Карлоса, если не наоборот, каждый раз наводят ужас». Роберт Блай с Карлосом совершенно не церемонится. Но, возможно, он освещает здесь основной пункт. Этот мужчина, который играет с женщинами, соблазняет и бросает их, который упивается ими и опутывает их ложью, не напоминает ли он знаменитого литературного персонажа по имени... Дон-Жуан?

В начале восьмидесятых годов путь Кастанеды с каждым днем становится все более извилистым. Отныне писатель богат, его книги продаются сотнями тысяч экземпляров. В то же время автор «Путешествия в Икстлан» продолжает негласное формирование своей группы «магов», которая теперь насчитывает около пятнадцати человек.

Однако интерес к нему постепенно падает. Времена изменились, период успеха миновал. Вчера Карлос привлекал внимание и дразнил критиков. Но прошлые скандалы отныне всего лишь воспоминания, смытые волной прибоя.

Кастанеда теперь принадлежит новому модному течению «новый век». Во многих отношениях «новый век» представляет собой остатки движения хиппи. Под этим безличным термином скрывается возрождение разнообразных практик: спиритизма, гадания по кристаллу, шаманизма, ясновидения, изучение прошлых жизней, гипноз, биологическое питание... Течение «новый век» существует также в музыке, его основные представители – Клаус Шульце и Андреас Волленвайдер.

Необычного «гуру» и представителя «нового века» Кастанеду по-прежнему невозможно отнести к какому-либо разряду. Чтобы связаться с ним, необходимо обратиться к одному из посредников – его агенту Трейси Крамеру или его адвокату Джерому Уорду, в которых нет ничего интересного. Однако с друзьями связь не обрывается никогда.

Так, в 1981 году Дэвид Уоллес, его жена, Карлос и *Анна-Мари Картер* (Мэриенн Симко) вместе отправляются на просмотр фильма «Пишоте» Гектора Бабенко.

Режиссер также друг Карлоса. С Кастанедой можно дружить, не разделяя его взглядов. По-видимому, писатель любит удаляться от круга своих адептов. Он часто бывает в кино. Среди многих его любимых фильмов такие картины, как «Бегущий по лезвию ножа», «Босоногая графиня», «Седьмая печать», а также фильм о войне «Тора! Тора! Тора!».

«ДАР ОРЛА» ИЛИ НАСЕЛЕННАЯ ПУСТЫНЯ

Шестая книга Карлоса Кастанеды «Дар орла» выходит в мае 1981 года в издательстве «Саймон и Шустер» под оригинальным заголовком «The Eagle's Gift».

Это произведение сталкивается с неожиданной конкуренцией. В то же самое время, когда выходит «орел», Ричард де Милл выпускает продолжение своей первой книги. Его торпеда носит название «Записки о доне Хуане, новые споры». Ричард де Милл вновь облачается в боевые доспехи и становится памфлетистом-рационалистом.

По правде сказать, «Дар орла» во многих отношениях способствует критике оппонента. В начале книги автор в который раз называет себя ученым, используя уже слегка набившую оскомину фразу: «Я антрополог, но эта книга не является научной в строгом смысле слова». Он признает, что его научный проект потерпел фиаско. Разве он не стал адептом новой веры?

Кастанеда снова напоминает о существовании группы. В первых книгах он был один среди пустыни. Но теперь это пространство заселили новые персонажи. Карлос перечисляет тех, кто входит в «группу»: «(...) Я снова приехал в Мексику, где обнаружил, что у дона Хуана и дона Хенаро было девять других учеников магии: пять женщин и четверо мужчин. Самую старшую из женщин звали Соледад, затем шла Мария-Елена по прозвищу Ла Горда, три других – Лидия, Роза и Хосефина были самыми молодыми, их звали «сестричками». Четверых мужчин по старшинству звали Элихио, Нестор, Бениньо и Паблито». По мере повествования этот список ширится и меняется. Появляются новые лица: женщина-нагваль, Эмилито, Хуан Тума, Марта, Тереза, Зулейка, Зойла, Сильвио Мануэль, Сесилия, Делия, Кармела, Эрмелинда, Висенте, Нелида и Флоринда. Соответствуют ли эти персонажи людям, составляющим круг приближенных Карлоса? Очень возможно. Однако вымысел перемешан с сюрреализмом.

Самого себя Карлос называет «нагваль». Термин «нагваль», таким образом, подразумевает не только то, что находится за пределами сущего, но и *того*, кто способен выйти за этот предел. В предыдущей книге автор уже говорил, что дон Хуан определял себя именно так.

Он снова выдвигает спорную теорию родственной связи с толтеками. В частности, упоминает мексиканскую пирамиду в Туле, которую посетил вместе с Морисом Коканьяком: «(Дон Хуан) считал себя наследником культуры толтеков. Тула была старинным центром толтекской империи».

Карлос даже похваляется родством с «атлантами». Что же касается дона Хуана, его теперь называют «магом пирамиды».

И все же «Дар орла» таит в себе некоторые откровения. Между двумя рассуждениями читатель вновь погружается в так называемую «другую реальность», которую автор умудряется описать конкретно и просто, что делает ее еще более ощутимой.

Значительная часть книги посвящена истории любви с Ла Гордой. Вспоминая дона Хуана и старые времена, Карлос рассказывает, что старик больше всего любил стихи Сесаро Вальехо. В подтверждение этих слов он читает чувственные, волнующие стихи:

Хотел бы я знать, чем занята в этот час,
Моя милая Рита, девушка Анд,
Мой легкий тростник, ветка дикой вишни,
Теперь, когда усталость душит меня
И кровь засыпает, как ленивый коньяк.
(...)
Хотел бы я знать, что стало с ее юбкой с каймой,
С ее вечным трудом, с ее походкой,
С ее запахом весеннего сахарного
Тростника, обычного в тех местах.
Она, должно быть, в дверях
Смотрит на быстро несущиеся облака.
Дикая птица будет петь на крыше
И, вздрогнув, она, наконец, скажет: «Боже, как холодно!»

По мере развития действия дон Хуан то появляется, то вновь исчезает, невзирая на хронологию. Сам рассказ как будто дробится на кусочки, словно все происходит во сне, а повесть пишется сама собой.

Дон Хуан объясняет, в чем состоит дар орла: «Сила, которая управляет судьбой всех живых существ, называется Орлом не потому, что это орел или это как-то связано с орлом, а потому, что для видящего она выглядит как огромный иссиня-черный орел, стоящий прямо, как стоят орлы, высотой уходя в бесконечность».

Орел выглядит божеством, которое воспринимается скорее как некий принцип, а не как мыслящее существо.

В конечном итоге «Дар орла» не вызывает никаких споров. В этом-то вся трагедия. Произведение Кастанеды никого не задевает и не волнует. Из обычного книжного магазина оно переместилось в отдел эзотерики.

Похоже, в этот период писатель укрепляет структуру тайного сообщества, которое окружает и защищает его.

21 сентября 1981 года он выписывает доверенность Реджин Тол, и отныне она может от его имени совершать любые законные действия.

Соприкасаются ли духовная и мирская жизни? С девушками, которые окружают Кастанеду и заботятся о нем, он часто ведет себя как отец и советчик. Пэтти Патин, она же *Нури Александер,* его любимица. Он следит за ее учебой и побуждает ее поступить на экономический факультет УКЛА. В свою очередь, Кэтлин Полманн, она же *Кэрол Тиггс,* заканчивает курсы акупунктуры.

Ученицы мага не только меняют имена на псевдонимы. Весталки должны сжечь все мосты, отречься от семьи и друзей: «We don't need frieeeeeends!» («Нам не нужны друзья!») – скандирует Карлос, подчеркивая слащавость английского слова «друг».

Реджин Тол, она же *Флоринда Доннер,* выступает вожаком группы. Эта маленькая светловолосая женщина, которая выбрала себе тотемом лягушку, изучает антропологию в УКЛА с 1970 года. В 1982 году она публикует любопытное произведение «Шабоно: путешествие в таинственный волшебный мир в сердце южноамериканских джунглей». Этот «научный» доклад во многом похож на стиль Кастанеды. *Флоринда* так глубоко проникла в жизнь индейцев, что ее самое принимают за шамана.

В 1983 году Ребекка де Холмс утверждает в своей статье в журнале «Американский антрополог», что существует подозрительное сходство между произведением *Флоринды Доннер* и книгой «Йоноама» Этторе Бьокка, в которой говорится о приключениях молодой женщины, когда-то похищенной индейцами Венесуэлы.

Таким образом, работа *Флоринды Доннер* представляется такой же спорной, как и книги Карлоса Кастанеды. Ученица идет по стопам учителя. Быть может, молодая женщина только следует по пути воина, становясь неуловимой. Всю жизнь потом она будет делать самые невероятные заявления и постоянно лгать о себе.

Карлос по-прежнему близкий друг Эми Уоллес. Мы помним, что он познакомился с дочерью Ирвинга Уоллеса летом 1973 года. С тех пор их отношения не прерывались. Он постоянно звонит ей, пишет, расспрашивает о ее делах, рассказывает о себе. В этом постоянстве есть нечто трогательное. У них с Эми ничего не было. Но для Карлоса она входит в число приближенных.

В 1983 году в ее доме раздается странный телефонный звонок. Звонит Карлос. Похоже, он в полном отчаянии. Ла Горда только что умерла, он оплакивает покойную, и в его голосе звучат самые искренние ноты скорби. У Эми Уоллес нет никаких оснований сомневаться в существовании Ла Горды. Она взволнована. Значит, этот человек, как и большинство взрослых, способен страдать и мучаться сомнениями? Его горе не может не вызвать любопытство. Неужели Карлос настолько убежден в существовании собственных персонажей, что оплакивает их, когда они умирают?

С Эми Уоллес автор «Сказок о силе» проявляет себя с невероятной стороны. С того дня, когда Карлос встретил ее семнадцатилетней, он знал, что она назначена ему судьбой. И с тех пор проявил небывалую выдержку. Окончательное «слияние» произойдет только в 80-е годы.

В 1984 году к Карлосу обращается Федерико Феллини. Он мечтает экранизировать «Учение дона Хуана», или скорее ввести его в собственный мир. Предложение совершенно серьезное. Феллини собирается лично руководить проектом. Он предлагает Алехандро Ходоровскому участвовать в написании сценария. Фильм может называться «Путешествие в Тулум». Однако Феллини сталкивается с трудностями. Неужели он думал, что Карлос с радостью ухватится за эту идею? Режиссеру даже не удается с ним повидаться. Отчаявшись, Феллини отправляется в Лос-Анджелес и тщетно пытается с ним встретиться. Но *нагваль* недоступен. Встреча так и не состоится.

Уже не в первый раз Карлосом интересуются в мире кино. Недаром он живет в нескольких километрах от Голливуда, в столице киноиндустрии. В семидесятые годы с ним встречался Джозеф Левин, который уже тогда хотел снять «Учение дона Хуана». На роль Карлоса прочили Энтони Куинна. В фильме должна была принять участие Мия Ферроу. Но затея так и не состоялась. Другие режиссеры столь же тщетно пытались добиться его согласия на экранизацию – Джим Моррисон и Дино де Лаурентис потерпели неудачу.

А что говорить об Оливере Стоуне, который назвал свою киностудию «Икстлан филмз»? Кастанеда не перестает притягивать мир кино.

«ВНУТРЕННИЙ ОГОНЬ», ИЛИ ТАЙНА 1723 ГОДА

За то время, пока писатель играет с Феллини в прятки, он успевает опубликовать в 1984 году новую книгу «Внутренний огонь».

Любопытный факт – дон Хуан появляется вновь вопреки всякому правдоподобию. Но кого это волнует... Для Карлоса каждая новая книга – еще один этап пути, все дальше уводящий от «здравого смысла».

Поколение магов существует с незапамятных времен. Однако в течение веков произошло таинственное событие: «(...) Наша линия совершенно исключительна, потому что в 1723 году в ней произошло радикальное изменение в результате влияния извне, которое воздействовало на нас и неумолимо изменило нашу судьбу».

1723-й – год потрясения. В этой связи дон Хуан рассказывает о «точке сборки». Чтобы достичь высшего уровня сознания, необходимо «переместить точку сборки», то есть сознательно уничтожить ориентиры и совершить прыжок в неведомое. Придется дойти до 238 страницы французского издания книги, чтобы узнать, что же случилось в 1723 году. В этом году нагваль Себастьян столкнулся с персонажем по имени «победитель смерти». «Он существует на земле сотни лет и в большей или меньшей степени изменил жизнь каждого из нагвалей, которых встречал. И он встречался со всеми без исключения нагвалями нашей линии с 1723 года».

Кто этот загадочный «победитель смерти», наделенный бессмертием, и чье вмешательство изменило судьбу магов? На наших глазах персонаж постепенно выходит из тени. Однако еще слишком рано для того, чтобы он показался полностью: «Дон Хуан (...) объяснил мне, что, по мере того как моя точка сбора будет перемещаться, наступит момент, когда я попаду в верную позицию эманаций, и с этого момента я получу неопровержимое доказательство, что этот человек существует».

От книги к книге Кастанеда следует тем же курсом и продолжает создавать необычное произведение. Однако он все больше впадает в «эзотерику» в лучшем и худшем ее проявлении.

В 1984 году Кастанеда – признанный патриарх «нового века». Отныне он делит калифорнийский Олимп с ясновидящими, мессиями и светочами разного сорта.

Однако никому и в голову не приходит объявить круг его приближенных сектой. Парадоксальная религия книг Кастанеды еще защищает автора и окружает аурой литератора. Движение его сторонников носит неофициальный характер. Большинство «магов» и «учеников» живут в доме в Вествуде.

Этот вместительный дом единственная собственность Кастанеды? Нет оснований это утверждать. Похоже, группа в течение нескольких лет владеет еще одним домом на горе Шаста, на севере Калифорнии.

В 1985 году Кастанеда оформляет у нотариуса Беверли-Хиллз новое завещание, которое аннулирует предыдущее от 1975 года. По нему он равными долями распределяет все свое имущество между женщинами, живущими с ним: Мэри Джоан Баркер, Мэриенн Симко (*Тайшей Абеляр*), Реджин Тол (*Флориндой Доннер*) и Патрисией Ли Патин (*Нури Александер*). Двум адвокатам (Барри Уилку и Джерому Уорду) поручено проследить за должным исполнением его воли. Как и в 1975 году, Кастанеда не упоминает ни Карлтона Джереми, ни свою родную дочь, живущую в Перу, – Марию Дель Розарио Петерс. Чем завещание 1985 года отличается от предыдущего? В первом варианте наследницами были назначены Мэри Джоан Баркер, Мэриенн Симко, Реджин Тол и Беверли Мэдж Эймс. С тех пор последняя впала в немилость и больше не входит в круг «избранных». Ее заменили на Патрисию Ли Патин, которой отведено почетное место. Эта юная девушка долгие годы считается «принцессой», фавориткой, чьи желания немедленно исполняются.

Растет и влияние Реджин Тол. Среди учеников Кастанеды она пока единственная, кто пишет книги. Ее последняя книга «Сон ведьмы», вышедшая в 1985 году, удостоена предисловия Кастанеды: «Труд *Флоринды Дон-*

нер для меня имеет особое значение. Он близок моим произведениям и все же отличается от них. *Флоринда Доннер* – мой соратник (...). Мы оба принадлежим миру дона Хуана Матуса».

Реджин Тол охотно выступает в роли посланника. В 1985 году она приглашена к Джеку Барзаги в числе тщательно отобранных, именитых личностей Калифорнии. Джек Барзаги был директором кабинета у Джерри Брауна, когда тот находился на посту губернатора Калифорнии. Браун и Барзаги всегда в той или иной степени «поддерживали» Кастанеду. Надо признать, губернатор питал слабость к духовным учениям. Разве не был он учеником Свами Муктананды? У Барзаги Реджин Тол встречает много людей, которым известно о ее необычных отношениях с автором «Отдельной реальности». Она долго беседует с Селест Фремон – бывшая журналистка «Севентин мэгэзин» брала интервью у Карлоса в 1972 году, в течение года навещала его, а потому причисляет себя к «сочувствующим». Реджин Тол рассказывает о том, что Кастанеда состарился, а потом заявляет, что он серьезно болен и живет теперь в Аризоне.

Однако нет оснований считать, что в этот период Кастанеда страдает каким-то недугом. Вероятно, своей ложью *Флоринда* хочет пресечь всякое поползновение встретиться с Карлосом. Селест Фремон уже пыталась возобновить знакомство с писателем. В 1982 году она даже видела его у того же Барзаги. Но Карлос избегает сближения. Как бы там ни было, Реджин Тол – его самый верный адъютант.

Эта маленькая, порывистая и раздражительная женщина обладает сложным характером. Она одинаково способна на шутку, цинизм и жестокость. Бывает, она сама находит новых любовниц своему учителю. Справедливо ли считать ее «альтер эго» Карлоса в женском обличии? Очевидно, что перед нами совершенно незаурядная личность.

Вечно непредсказуемый писатель соглашается на интервью с Грасиелой Корвалан, которое выходит в 1985 году в номерах 14 и 15 журнала «нового века» «Волшебная смесь». В основном беседа касается философии. Кастанеда говорит о влиянии феноменологии Гуссерля, подробно рассказывает о своем посещении Муктананды и утверждает, что в 1975 году встречался с учеником Гурджиева, тщетно пытавшимся его «заполучить».

В то время, когда его считают недоступным, он совершенно неожиданно появляется на публике. В августе 1985 года один из его «адъютантов» связывается с Майклом Готом, руководителем знаменитого книжного магазина в Санта-Монике, торгующего духовной литературой, «Феникс букстo». Согласен ли Гот организовать неожиданную конференцию с участием Кастанеды через сорок восемь часов? Хозяин магазина принимает вызов. Слух об этом разносится моментально, и 24 августа 1985 года пятьдесят счастливчиков несколько часов подряд беседуют с Кастанедой. Зачем вдруг воину понадобилось выйти из своей берлоги и появиться в круге света? Может, он просто хочет прорекламировать свою последнюю книгу «Внутренний огонь»? Но в этом случае акции не хватает размаха. На самом деле Кастанеда преследует совсем иную цель: он решился на эту импровизированную встречу только от «отчаяния»[1]. Потрясающая откровенность. Писатель не разыгрывает из себя «гуру» и признается в собственной слабости. Можно ли прожить, запершись в башне из слоновой кости?

---

1 Michael Ventura. «Carlos Castaneda, the Witch of Westwood», L.A.Weekly, 4 october 1985.

Майкл Вентура, освещавший это событие в газете «Еженедельник Лос-Анджелеса» делает меткое замечание: «Своим желанием и потребностью высказаться перед толпой незнакомых людей Кастанеда раскрыл карты. Он пришел не потому, что мы нуждаемся в нем, а потому, что *он* нуждается в нас». Во время встречи Карлос очень разговорчив. Помимо прочего он утверждает, что большинство книг было им написано в кабинете на Вествудском бульваре, неподалеку от Уилшира. Это, безусловно, ложь, но близкая к правде. Потому что он действительно живет в Вествуде с 1973 года.

Возможно, в этот смутный период он знакомится в Лос-Анджелесе с французской журналисткой Вероникой Скавинской, изучающей каббалу у некой Эймел Хелл. Приехав в США, она всеми средствами пытается встретиться с Карлосом, но натыкается на глухую стену. Издатель Кастанеды, Майкл Корда, просто-напросто выпроваживает ее:

«– Я не устраиваю встреч с ним.

– В таком случае, не скажете ли вы, как найти его самого или его агента?

– Ни в коем случае, – следует сухой ответ.

– Могу я оставить для него письмо? Вы могли бы его передать?

– Нет, не могу. Я уже сказал: я не знаю его адреса. (...)

– Может, вы хотя бы объясните, почему вы не хотите мне помочь?

– И этого я вам сказать не могу»[1].

После долгих стараний, используя «магические приемы» и тщательно избегая издателя и агента, Веронике Скавинской все же удается встретиться с Кастанедой.

---

[1] Veronique Skawinska. «Rendez-vous sorcier avec Carlos Castaneda», Editions Denoël, 1989.

Целый вечер она пытается убедить его в обоснованности тезисов Эймел Хелл, которая, по ее словам, является продолжательницей учения дона Хуана. Ее описание Карлоса довольно любопытно: «Темноволосый, низкорослый, подвижный, одет в светло-бежевый вельветовый костюм, под распахнутым пиджаком простая белая рубашка с расстегнутым воротом. Сильный. Из-под черной, аккуратно стриженной шевелюры быстрый, цепкий и горящий взгляд темно-карих с красноватыми белками глаз».

Однако возникает вопрос: действительно ли Вероника Скавинская встречалась с Кастанедой, или это был его двойник? Мужчина пришел на встречу в сопровождении молодой длинноволосой женщины по имени Маргарета Нието. Она известная личность, и ее присутствие служит залогом того, что встреча подлинная. Маргарета Нието принадлежит к окружению Кастанеды с семидесятых годов. Она охотно выполняет работу агента, старательного адъютанта генерала Кастанеды. Действительно ли она сопровождала Карлоса во время романтичного ночного свидания? В книге, описывающей эту встречу, «Волшебное свидание с Карлосом Кастанедой», Вероника Скавинская упоминает нечто поразительное:

«– Меня никто не мог найти, – мягко произнес он.

У него великолепное американское произношение без малейшего иностранного акцента. Тембр его голоса отдается у меня в голове словно во сне».

По словам Эми Уоллес, Карлос Кастанеда говорит по-английски с ошибками и сильным испанским акцентом. Кроме того, он часто употребляет испанское ругательство «carajo». Каким же образом он мог в тот вечер говорить на чистом американском без малейшего акцента?

Вполне возможно, что Карлос хотел «проверить» таинственную француженку и послал вместо себя кого-то из своей группы. Таким образом, Вероника Скавинская могла попасть к магу в ловушку.

«СИЛА ТИШИНЫ», ИЛИ МАГИЧЕСКАЯ КНИГА

Карлос неуловим еще больше, чем прежде. Он появляется и исчезает, когда ему заблагорассудится. К тому же он без конца меняет номер телефона. Избранники-однодневки очень быстро теряют привилегию общаться с ним. По правде говоря, этой парадоксальной личностью интересуется теперь только горстка преданных последователей. Публика мало-помалу забывает о нем. Книги по-прежнему бойко продаются, но так ли широк круг читателей, каким он был в семидесятые годы? Крупные печатные издания чувствуют это и в большинстве обходят его молчанием. Прошло то время, когда каждая книга вызывала бурные споры. «Сила тишины», вышедшая в 1987 году, тем более не вызвала никакой бури. Эта всеобщая слепота поражает. На самом деле «Сила тишины» одно из наиболее сильных произведений Кастанеды.

В нем описаны «новые уроки дона Хуана». Еще одно запоздалое воскрешение из мертвых может удивить. Но Карлос чужд всякой последовательности. В кратком предисловии он утверждает принцип, который вряд ли кого-нибудь поразит: «Мои книги являются точным отчетом о методе обучения (...)». Теперь остается описать сам метод: упомянутое обучение «основано на устных правилах и манипуляциях с сознанием».

Может быть, Кастанеда изобрел новый жанр, манипулирующий сознанием читателя?

В этой книге автор считает своим долгом кое-что пояснить. Уже на первых страницах дон Хуан дает определение магии. «Чтобы воспринять «расширенную» реальность, магу необходим пучок энергетических полей, который обычно не применяется».

Маг выходит за пределы ощутимого мира, черпая силу нетронутых энергетических полей: «Магия – это состояние сознания». Роль наставника состоит не в том, чтобы научить, а в том, чтобы поставить лицом к лицу: «Нам нужен учитель, который сможет нас убедить, что нам доступна несметная сила».

На этих страницах Хуан изъясняется на удивление «отточенным», почти научным языком. Такой слог не уместен в устах старого насмешливого индейца, жителя пустыни.

Впрочем, он все же отступает от стиля и, шутя, задает провокационный вопрос: является ли Карлос Кастанеда *писателем?* Для него ответ ясен: «Конечно, ты не писатель, – сказал он мне, – поэтому тебе придется пользоваться магией. (...) Писательство для тебя будет не литературной работой, а упражнением в магии».

Написание книги как магический акт есть не что иное, как манипуляция сознанием.

В одном волнующем эпизоде дон Хуан описывает смерть, как черное пятно под левым плечом: «(...) Маги знали, когда человек должен был умереть, потому что они видели, как это черное пятно становится подвижной тенью того же размера и очертаний, что и человек, которому оно принадлежит».

Существует ли тайная связь между поэзией и магией? В книге «Дар орла» Кастанеда цитировал Сесара Вальехо. Он снова подчеркивает особую роль поэтов. Является ли поэзия частью магии? Утонченный эрудит, дон Хуан цитирует Хуана Рамона Хименеса:

(...) Я думал, что мои волосы черные...
А одежда серая...
А мои волосы седые,
И одет я в черное (...).

По словам удивительного индейца, поэт обладает чутьем другого мира: «(...) Хотя поэт никогда не сдвигает свою точку сбора, он интуитивно улавливает нечто из ряда вон выходящее, поставленное на карту. Он совершенно отчетливо ощущает нечто невыразимое и величественное в своей простоте, то, что определяет наши судьбы».

Поэты и воины разными путями достигают единой цели. *Иная* реальность определяется благодаря своей простоте. Такой взгляд на мир не может не напомнить слова Мартина Хайдеггера. В работе «Разъяснения к поэзии Гёльдерлина» немецкий философ говорит следующее: «примитивный язык является поэзией в качестве основы бытия».

Язык поэзии – не украшение стиля. Хайдеггер видит в нем упрощение. Поэзия делает доступной простоту, а значит, и бытие. И здесь Кастанеда опять-таки гораздо ближе к немецкой философии, чем к таинственным традициям толтеков.

Возвращаясь к «Силе тишины» в 1998 году, он замечает, что заголовок был выбран издателем: «Я хотел назвать книгу «Внутреннее безмолвие». Карлос восхищается Антоненом Арто. Но читал ли он Рильке, который писал: «Нет ничего могущественнее тишины»?

В 1988 году *Кэрол Тиггс*, она же *Элизабет Остин*, снова меняет имя и становится *Муни Александер*. Таким образом, ученики Кастанеды умудряются стереть свое прошлое нагромождением псевдонимов.

Нам известно, что *Флоринда Доннер* пользуется в группе большой свободой передвижения. В восьмидесятые годы она путешествует в Норвегию в компании Ди Эн Джо Элверс, чей псевдоним *Кайли Ландал.*

В 1991 году она публикует новую книгу «Жизнь в сновидении»[1]. Предисловие, как водится, написано Карлосом Кастанедой: «С конца шестидесятых до середины семидесятых годов *Флоринда Доннер, Тайша Абеляр, Кэрол Тиггс* и я были учениками дона Хуана Матуса». История бесконечно перекраивается. В нее, например, добавлен один необычный забавный эпизод. *Флоринда Доннер* неоднократно без тени улыбки утверждает, что встречала Карлоса в Таксоне, где он работал поваром в ресторане по приказу дона Хуана...[2] Кастанеда, однако, не похож ни на искусного повара, ни на гурмана.

К нему по-прежнему имеют доступ только люди особо избранные. В 1988 году он часто встречается с Карминой Форт. В 1991 году та публикует в Мадриде рассказ об этих беседах под заголовком «Разговоры с Карлосом Кастанедой»[3]. При каждой встрече присутствует *Флоринда Доннер.*

---

1 Florinda Donner. «Being in Dreaming», HarperSanFrancisco, San Francisco, 1991.

2 Brian S. Cohen. «An introduction to Toltec sorcery, Being in dreaming, an interview with Florinda Donner», Magical Blend, april 1992.

3 Carmina Fort. «Conversaciones con Carlos Castaneda», Heptada Ediciones, Madrid, 1991.

ГЛАВА 6
1992–1998. APOCALYPSIS CUM FIGURIS[1]

УДИВИТЕЛЬНОЕ РАЗОБЛАЧЕНИЕ

Появление в 1991 году книги *Флоринды Доннер* «Жизнь в сновидении» отнюдь не случайно. До сих пор кастанедовская группка существовала в полнейшей секретности, на манер тайного общества.

Начиная с 1990 года Реджин Тол, Мэриенн Симко и другие изъявляют желание не только выйти из тени, но и нести миру слово «нагваля».

Молодые женщины устраивают серию публичных конференций, которые по большей части проходят в книжных магазинах направления «нового века». Там они ведут успешную пропаганду. Разве не может любой средний американец по примеру молодых кастанедовских янки выбрать путь воина и стать «брухо»?

Собрания «магов» привлекают много народу, и нередко можно видеть, как толпа выплескивается на тротуар.

Эми Уоллес видится с Кастанедой от случая к случаю. На долю молодой женщины выпали трудные испы-

---

[1] Апокалипсис в картинках *(лат.)*.

тания. Ее отец умер от рака в 1990 году. Она только что развелась с мужем. Теперь она живет в Беркли и продолжает интересоваться разными духовными течениями.

В 1991 году в магазине «Гайя Букcто» устраивается встреча с «колдуньями». Туда приходит и Эми Уоллес. Едва заметив ее, *Флоринда Доннер* бросается к ней в объятия. Не была ли в конечном счете эта «случайная» встреча неотвратимой?

Несколько недель спустя у «избранницы» звонит телефон, правда, в не совсем подходящий момент. Эми только что обнаружила в своем доме гнездо летучих мышей и вызвала представителя муниципальной службы, чтобы его удалить. Звонок раздается в разгар битвы с мышами. Звонит Карлос, его тон нежный, предупредительный, дружеский. По его словам, Эми должна собрать все силы и прервать поток мыслей, чтобы приказать летучим мышам убраться. Кастанеда говорит, что чувствует призрака. Ее отец оккупирует жилище. Надо его прогнать.

Этот звонок, в конце концов, оказался полезным уроком. Карлос неожиданно окунул Эми Уоллес в потусторонний мир. Есть ли у молодой женщины в трауре скрытый талант? Обладает ли она «силой»?

Слова Карлоса приносят ей облегчение. Да и кто бы отказался в трудную минуту от поддержки наставника и отца?

Сама того не замечая, она попадает в переплет. Несколько недель подряд она ходит на конференции *Кэрол Тиггс*. Поздно вечером *Кэрол* и *Флоринда* осматривают ее жилище. У девушки хранятся письма с автографами знаменитых писателей, которые ей подарил отец. *Флоринда* приказывает бросить их в мусорное ведро. Такова плата за то, чтобы стать «колдуньей». Позднее жрицы потребуют, чтобы она порвала со своей лучшей подругой. Мало-помалу Эми Уоллес перестает сопротивляться и противоречить и добровольно обрекает себя на затворничество.

Колдуньи на редкость суровы. Однажды вечером в «Гайя Буксто» какой-то человек хочет их сфотографировать. Сюзан Арслан, по кличке *Зайя Александер,* требует отобрать камеру. Мужчина потрясен. В подобной обстановке он вряд ли ожидал столкнуться с такими сталинскими методами.

Эми Уоллес постепенно проникает в жизнь секты. Этот параллельный волшебный мир очаровывает ее, ей кажется, что в нем она развивается. Однажды вечером *Кэрол Тиггс* говорит, что она носит в себе «победителя смерти». В кастанедовской космологии это таинственное существо переходит из души в душу, обеспечивая, таким образом, собственное бессмертие. Никто и не думает оспаривать слова весталки. В этот вечер она действительно победитель смерти. В другой вечер *Флоринда* «серьезно» объясняет, что Карлосу больше не нужно читать. Чтобы проникнуть в текст книги, ему достаточно уснуть на ней... Магия проникает в повседневную жизнь и отметает всякие нормы.

Верит ли теперь сам Кастанеда в свою ложь и пересек ли он невидимую черту?

В этом можно поклясться. Реальность и грезы смешиваются. Повседневность приобретает остроту. Каждый день приносит нечто неожиданное.

Вчера писатель выглядел необычным автором и художником сюрреализма. Сегодня его лик искажен, ибо в нем проступили неприятные черты главаря секты. Но и этому общему портрету необходимо придать некоторые оттенки. С течением времени автор «Отдельной реальности» действительно установил свою власть в группе учеников. Но отношения, которые связывают «колдуний» с нагвалем, отмечены неоспоримым духовным поиском.

Пользуется ли Карлос легковерностью своих приближенных? Известно, что он предписывает пастве строжайшее воздержание, тогда как сам жадно черпает от щедрот «воительниц». В книге «Ученица колдуна» Эми Уоллес подробно описывает свое сошествие в ад. *Флоринда Доннер* сразу пытается убедить ее лечь в постель к Карлосу. Эми тридцать пять лет, Кастанеде шестьдесят три. Секс с мужчиной гораздо старше нее вовсе не привлекает Эми. Но *Флоринда* умеет убеждать. Она клянется, что сама отдалась... дону Хуану, когда ей было семнадцать. Никто из членов группы не сомневается в том, что старый мудрец существует.

Вскоре Эми Уоллес приглашают в Лос-Анджелес в танцевальную студию Санта-Моники. Карлос Кастанеда регулярно отправляет туда своих последователей в школу боевых искусств. В группе не более двенадцати учеников. Ряды поклонников состоят теперь только из маленькой группы избранных.

В изучении боевых искусств нет ничего удивительного или необычного. С 1974 по 1989 год Карлос и его команда добросовестно прошли курс обучения кунг-фу у знаменитого тренера Говарда Ли. Об этом свидетельствует необычный документ. В ноябре 1974 года *Флоринда Доннер* (Реджин Тол) и *Анна-Мария Картер* (Мэриенн Симко) стали главными героинями подробной статьи, опубликованной в журнале «Самурай», под недвусмысленным заголовком «Путь каратэ, базовые принципы женской атаки и защиты». Обе спортсменки считались в то время пионерами женского каратэ. На фотографиях они изображены в белых кимоно с черными поясами. Имя Кастанеды ни разу не упоминается[1].

---

[1] Maurizio R. Hernandes. «Karate, a turn-on for women», Samuraï, november 1974.

Когда читаешь «Сказки о силе», и в голову не придет, что дон Хуан мог выделывать всякие телодвижения, напоминающие каратэ или кунг-фу. Но Кастанеда, по всей видимости, очень увлечен этим необычным языком жестов. Быть может, он уже теперь подумывает о том, чтобы в дальнейшем организовать платные занятия по обучению магическим движениям?

В Санта-Монике Эми Уоллес знакомится с Брюсом Вагнером, а также с агентом Кастанеды Трейси Крамером. Эти двое – редкие особи мужского пола, затерявшиеся в царстве женщин.

К своему великому удивлению, Эми попадает на... импровизированный суд. На скамье подсудимых *Кэрол Тиггс* за то, что потеряла ключи от своей квартиры в Вествуде. Это в двух шагах от дома Кастанеды. Суд настроен весьма сурово. В голосе Кастанеды язвительная ирония. Эми Уоллес потрясена. Она обращается за разъяснениями к *Флоринде*, та оправдывает жестокость учителя. По ее словам, это особый магический метод под названием «грубая любовь», который уничтожает эго *Кэрол* и направляет ее к развитию. Грубая любовь состоит в систематическом унижении ученика. Эми Уоллес не спорит с этой странной философией. Гораздо позже она будет с ужасом вспоминать о возмутительных сеансах, оставивших неприятный осадок в душе.

Карлос правит любовью и страхом. Он без конца оскорбляет, грубо осаживает, давит на психику, грязно ругается и разглядывает непристойные картинки. Он топчет своих учеников, а потом ласкает их, объясняя, что они принадлежат к высшему миру. Их нужно хлестать по бокам, как хлещут лошадь.

На следующем занятии Эми Уоллес получает два магических подарка – гальку антиперспирант и букет розмарина. Дело в том, что Карлос не выносит телесных запахов.

Если Эми Уоллес хочет однажды стать «избранной», она должна сначала избавиться от потения. К «предметам силы» прилагается инструкция по применению: сварить розмарин, затем трижды в неделю промывать влагалище этим отваром, чтобы «изгнать энергетических червей». Молодая женщина не в силах скрыть недоумение. Во что превратился блестящий интеллектуал, который когда-то очаровывал ее своими меткими шутками? Теперь Карлос стал мастером сарказма. Он вожделеет ее и не скрывает этого. Сама того не желая, она вызывает ревность других женщин. Хотя фавориткой ее не назовешь. Карлос открыто заявляет о ее ничтожестве. Он угрожает исключить Эми из группы под тем предлогом, что ее аура красная, а не синяя. Позднее он осыпает ее комплиментами. Эта политика кнута и пряника, унижения и похвал в конце концов надломила хрупкое существо.

Флоринда подчеркнуто заботлива с ней: «Я твоя настоящая мать, которая тебя любит».

Наконец, происходит то, что и должно было произойти: Карлос назначает Эми магическое свидание в Уилшир-мотеле по адресу Уилшир-бульвар, дом 12023. Отельчик второсортный, но чистый. У Кастанеды довольно оригинальная манера соблазнения: «Карлос всегда говорил, что его сперма попадет мне в мозг и сделает его нечеловеческим, и что я должна желать этого во время полового акта», – рассказывает Эми Уоллес.

После соития Карлос запрещает любовнице мыться. Священная сперма ни в коем случае не должна выходить из влагалища. Молодой женщине необходимо пропитаться сверхчеловеческой субстанцией. Она обязательно станет колдуньей. Карлос восхищенно восклицает: «Для нас ты выше, чем Эйфелева башня! Ты электрический воин, существо, которого мы давно ждали, создание, которое поведет нас в бесконечность!»

В 1992 году *Тайша Абеляр* тоже публикует книгу-манифест «Магический переход», дополняющую недавнее произведение *Флоринды Доннер*. В ней автор повествует о своем обучении в Аризоне под руководством некой Клары Грау. В предисловии Кастанеда дает четкое пояснение: «В мире дона Хуана маги, в зависимости от врожденного темперамента, были разделены на две дополнительные группы: сновидящих и сталкеров. Сновидящие – это маги, способные выходить на более высокий уровень сознания, управляя своими снами. (...) Сталкеры же обладают врожденной способностью согласовывать свою жизнь с внешними обстоятельствами и достигать высшего уровня сознания, управляя собственным поведением»[1]. В заключении Кастанеда делает вывод, что *Тайша Абеляр*, без всякого сомнения, является сталкером.

«ИСКУССТВО СНОВИДЕНИЯ» И ПРИШЕСТВИЕ ТАНСЕГРИТИ

В 1992 году Кастанеда создает предприятие «Клиагрин инкорпорейтед», которое официально нанимает четырнадцать человек и ставит себе целью пропаганду языка жестов под названием «тансегрити». Этот поступок он объясняет так: «В конечном счете, я принял то, что дон Хуан называл моим предназначением»[2].

Карлос единственный наследник линии нагвалей. Ему надлежит передать знание. Но каким образом? «Прежде всего, я задал себе ключевой вопрос: как

---

1 Taisha Abelar. «The Sorcerers' Crossing. A Woman's Journey», Viking. New York, 1992.

2 «Magical Passes, Practical Wisdom form the Sorcerers of Ancient Mexico», HarperCollins. New York, 1998.

поступить с магическими пассами, которые являются наиболее практической и действенной частью знания дона Хуана? Я решил обратиться к магическим пассам и обучить им тех, кто захочет этому научиться».

Тансегрити означает обучение «магическим пассам»: «Я назвал этот новый комплекс движений «тансегрити», взяв архитектурный термин, означающий «особенность несущих строительных конструкций, состоящих из сплошных деталей под напряжением и прерывистых деталей под давлением, составленных таким образом, когда каждая деталь выполняет свою функцию максимально эффективно и с наименьшими затратами»[1].

Несмотря на то, что это слово есть в словаре и им может пользоваться кто угодно, английский термин «tansegrity» сразу становится торговой маркой под покровительством одной из фирм, которые контролирует Карлос – «Лауган продакшнз». Справедливо и то, что многословный писатель и архитектор Ричард Бакминстер Фуллер (1895–1983) тоже использовал этот термин, знаменитую теорию которого дал в книге «Синергетика, исследование геометрии мысли». Его последователи протестуют против вмешательства Кастанеды.

Но какой смысл вкладывает в это слово Карлос? Мы знаем, что вместе с учениками с начала семидесятых годов он занимается боевыми искусствами. Вероятно, Говард Ли, тренер Кастанеды, сыграл главную роль в разработке комплекса движений, заимствованных из разных традиций.

Начиная с 1992 года Кастанеда занимается их распространением с помощью рекламы. Он приказывает колдуньям устраивать пропагандистские конференции:

---

1 «Magical Passes, Practical Wisdom form the Sorcerers of Ancient Mexico», HarperCollins. New York, 1998.

Флоринда Доннер, Тайша Абеляр и *Кэрол Тиггс* – его главные распространители. Он также организовывает платные семинары по тансегрити, в основном их ведет особая группа колдуний – чакмулы.

Первый семинар состоялся в июне 1993 года в знаменитом центре «нового века» Аризонском институте Рим. Его участники знакомятся с пока не развитым тансегрити. Позднее движения станут более отточенными по мере того, как фигуры примут более четкие очертания. В конечном итоге будет создано около ста пятидесяти различных пассов.

До сих пор Кастанеда был практически недосягаем, а его речи путаными и бессвязными, теперь же в прессе то и дело появляются многочисленные закодированные и загадочные интервью, а реклама семинаров не сходит со страниц крупных журналов.

Легальная система прекрасно служит удовлетворению новых амбиций. Помимо «Клиагрин» создается и исчезает множество других предприятий. Одно из них распоряжается правами на аудио видеопродукцию. Это «Лауган продакшнз инкорпорейтед», которым управляют Мэриенн Симко (*Тайша Абеляр*), Кэтлин Полманн (она временно сменила псевдоним *Кэрол Тиггс* на *Муни Аранха*) и Реджин Тол (*Флоринда Доннер*).

Начало пропаганды тансегрити совпадает с выпуском новой книги «Искусство сновидения»[1], вышедшей в издательстве «Харпер Коллинз» в 1993 году под оригинальным заголовком «The Art of Dreaming».

Хотя до сих пор Кастанеда опасался употреблять чересчур избитый термин, теперь он открыто заявляет о своей принадлежности к «шаманизму»: «Чтобы дать определение своему знанию, я, по настоянию дона

---

[1] «The Art of Dreaming», HarperCollins. New York, 1993.

Хуана, избегал термина антропологической классификации – шаманизм. Я всегда пользовался словом, которое употреблял дон Хуан, – магия. Однако, по зрелому размышлению, я пришел к выводу, что это понятие омрачало и без того таинственный феномен, с которым он познакомил меня во время обучения».

Желая внести ясность, автор начинает популяризацию учения дона Хуана. Прежде всего, он формулирует основополагающий принцип этой науки: «Все является энергией. Вся вселенная есть энергия. Социальной основой нашего восприятия должна стать физическая уверенность в том, что энергия содержится во всем и повсюду».

Воин может не только *видеть* энергию, но и использовать ее как двигатель: « (...) Он может пользоваться энергией как толкателем, чтобы подобно ракете перелететь в неожиданные пространства».

Карлос предлагает своим последователям изменить восприятие, чтобы достичь того состояния бодрствования, которое он иносказательно именует «сном». В этом параллельном мире исчезают привычные установки, здесь правит игра, и все кажется возможным. Его адепты уже довольно ловко меняют повседневную жизнь. Именно этот необычный способ постижения жизни так притягивает внимание и в то же время озадачивает.

Карлос предоставляет слово дону Хуану, в который раз воскресшему из мертвых. Тот снова упоминает о происхождении линии нагваля: «(...) Маги прошлого (...) познали свой апогей три тысячи лет назад».

Уже три тысячи? Карлос сомневается, что их генеалогия имеет столь глубокие корни, чем вызывает гнев индейца: «Дон Хуан покачал головой то ли ошеломленно, то ли с возмущением: «Когда сталкиваешься лицом к лицу с непостижимым, там, – сказал он, указывая вокруг себя, – ты не теряешь времени на жалкую ложь». Тратить время на ложь? Это не про Карлоса...

Как обычно, книга полна счастливых предчувствий... Нужно бояться, словно чумы, «лабиринта светотени». Нет ничего более опасного, чем полусвет. Далее дон Хуан заявляет, что «маги упорядочивают хаос». Это напоминает один из девизов масонов «Ordo ab chao» (Порядок из хаоса).

Дон Хуан вновь проявляет себя тонким эрудитом. Вчера он цитировал Сан Хуана де ла Крус, Сесаро Вальехо, Хуана Рамона Хименеса. Теперь он интересуется англо-саксонской культурой и просит Карлоса прочесть ему вслух стихи Дилана Томаса.

Если «Искусство сновидения» задумано с целью привлечь как можно больше внимания, то речь идет о совершенно необычном произведении. Все признаки эзотерики налицо, однако Кастанеда умудряется наперекор всему сохранять особый тон, свойственный ему одному.

В то время как «Искусство сновидения» знаменует его возвращение на авансцену, Карлос Кастанеда совершает удивительный поступок. 27 сентября 1993 года в Лас-Вегасе он женится на *Флоринде Доннер*. А 29 сентября там же заключает брак с *Кэрол Тиггс*. Таким образом, его многоженство закреплено юридически.

А как же с мужчинами? По просьбе Карлоса большинство его последователей мужчин отказались от всякой половой жизни. Некоторые все же проявляют скрытую активность. Случается, однако, что Карлос создает внутри группы временные пары. Он также берется судить поведение учеников и следит за сексуальным развитием своих женщин. Время от времени он скрупулезно подбирает партнеров тем и другим[1].

---

[1] Из беседы с Эми Уоллес от 12.02.2004 г.

Осенью 1993 года он устраивает по поводу своего нового явления публике грандиозную конференцию в книжном магазине «Феникс», в Санта-Монике перед горсткой приглашенных. Все организовано первоклассно. Без приглашения приблизиться к Карлосу невозможно.

Маргарет Раньян и Карлтон Джереми тоже хотят присутствовать на этой встрече. С помощью Дэвида Кристи, директора издательства «Милления-пресс», им удается туда попасть.

Карлос появляется перед слушателями в джинсах и ковбойских сапогах. Это очень расстроило Маргарет. Куда девался строгий тесный костюм? Робкий оратор шестидесятых явно постарел.

Нескончаемая речь Карлоса, начиненная «случаями из жизни», забавными историями, желчными замечаниями и мыслями вслух, длилась три часа. Он прекрасно пародировал и без конца высмеивал разных самозваных гуру, заполонивших Западное побережье Соединенных Штатов. Среди присутствующих можно было заметить видного деятеля шестидесятых Тома Хайдена.

Во время первых конференций маленький человечек в сером с трудом мог удержать внимание публики, разочарованной его чересчур скромным видом. Но с тех пор он сильно изменился: «Он мог бы сделать карьеру в Лас-Вегасе», – с улыбкой заметил Ричард Дженнингс, который примкнет к группе в 1995 году[1]. Это замечание очень важно по своей сути. Карлос стал настоящим шоуменом и в скором времени будет зажигать огромные аудитории. Однако его пространные одухотворенные речи постепенно внушают сомнение. Этот человек всего лишь манипулятор. Он также поэт и мыслитель, а его откровения кружат голову. «Сейчас

---

[1] Из беседы с Ричардом Дженнингсом от 06.02.2004 г.

без четверти полночь», – часто повторяет он своим приближенным.

Завершив блестящую, остроумную речь, мэтр покидает магазин через служебный вход. Маргарет и Карлтон Джереми устремляются вслед за ним. Чтобы привлечь его внимание, сын стучит по стеклу уже отъезжающего автомобиля. Несмотря на прошедшие годы, Карлос узнает молодого человека. Он выходит и какое-то время разговаривает один на один с юношей, которого знал ребенком. Затем он подходит к Маргарет и нежно обнимает ее. Та ведет себя странно. Протягивает ему экземпляр «Искусства сновидения» и просит подписать. Непонятно, почему эта женщина, когда-то столь близкая Кастанеде, ведет себя как поклонница. Карлос отказывается дать автограф: «У меня слишком устали руки». И, наконец, уезжает. Сцена заняла не более десяти минут.

Автор «Силы безмолвия» отныне продолжит платные выступления перед аудиторией. Случайность ли это? Возрождение славы вызывает новую волну критики. Антрополог и специалист по индейцам племени гуичоль, Джей Кортни Файкс, бросается в бой, и его тактика напоминает методы Ричарда де Милла. В книге «Карлос Кастанеда, академический оппортунизм и психоделические шестидесятые», он в свою очередь развивает идею о том, что писатель всего лишь ловкий выдумщик. В том числе он приводит точные слова Джейн Раш, которая встречалась с Кастанедой в УКЛА: «Карлос Кастанеда – величайший духовный манипулятор двадцатого века». Десять лет назад эти слова вызвали бы жаркий спор. Но старые насмешки отдают нафталином. У Файкса нет твердых аргументов, и его замысел терпит неудачу. Пользовался ли Кастанеда ранее опубликованными трудами? Выдумал ли он дона Хуана? Какая разница... У Карлоса теперь другие заботы.

Но почему он так настойчиво выставляет себя напоказ? Зачем понадобилась реклама и пропаганда тансегрити? «Карлос нуждался в постоянном возбуждении. Ему необходим был ежедневный эмоциональный всплеск»[1], – вспоминает Эми Уоллес. Быть может, он соскучился в своем добровольном заточении? Или решил выйти из подполья, чтобы привнести остроты в жизнь, которая больше его не устраивала? «По мере того как он старел, Карлос приходил к мысли, что должен оставить послание миру», – уточняет Уоллес. «Стать лидером – последний этап на пути к власти».

Рекламная кампания тансегрити и выход из тени в конечном счете преследовали две главные цели: борьбу со скукой и обретение власти.

Никакой группы официально не существует, о чем неустанно твердит Флоринда на публике. Однако сфера влияния Кастанеды не перестает шириться и напоминает тайную разветвленную сеть. В группе установлена строгая иерархия. Карлос – единственный судья успехов своих учеников. Он благоволит, лишает любви и выгоняет по своему усмотрению, он часто суров, жесток и уничтожающе язвителен. Тернист путь к восприятию. Будущий воин должен подвергаться систематическим унижениям. «Мы прежде всего хищники», – внушает отныне пропагандист сверхчеловеческих возможностей. Следует искоренять добрые чувства – снисходительность к самому себе, слащавость и «опасную жалость». Маг находится за пределами добра и зла: «Больше всего на свете я боюсь принять помощь матери Терезы», – шутит Карлос. В беседе с Кончей Лабарта, опубликованной в испанском журнале «Мас Алла», *Флоринда Доннер*, *Тайша Абеляр* и *Кэрол Тиггс* подчеркива-

---

[1] Из беседы с Эми Уоллес от 11.02.2004 г.

ют, что отказались от дороги с сердцем. Необходимо освободиться от власти добрых чувств. Любовь? Пустое слово. «Колдуньи» ссылаются на учение дона Хуана, которого называют «старый нагваль»: «Старый нагваль сказал нам, что в основном мы, человеческие существа, никогда не учились любить. Мы учились только чувствам, доставляющим удовольствие, применимым исключительно к собственному «я». Бесконечность прекрасна и не знает жалости, – говорил он, – в ней нет места иллюзорным понятиям»[1].

Отказ от иллюзий – основное правило кастанедовского учения. Три женщины подчеркивают необходимость уничтожить «модели поведения, ведущие к хаосу, такие, как постоянное беспокойство из-за романтической любви, ежедневное утверждение и защита собственного «я», вечная загруженность делами, но главное – чрезмерная забота о самом себе»[2].

С 1993 года в танцевальной студии по адресу Стюарт-стрит, 1711, Кастанеда организует еженедельные внутренние сессии под названием «воскресная группа». Речь идет о группе внутри группы. Эта закрытая ячейка насчитывает не более тридцати пяти человек. Кастанеда присутствует регулярно. Он произносит трехчасовые монологи, прерываемые сеансом тансегрити. В дальнейшем собрания происходят в разных местах. В одном из репетиционных залов на бульваре Санта-Моника Кастанеде часто мешает барабанщик с тамтамом, который отбивает священный ритм в соседнем помещении.

«Воскресная группа» состоит только из людей «первого круга». Каждый мечтает получить туда приглашение.

---

1 Беседа была опубликована в испанском журнале «Mas Alla» 1 апреля 1997 г.

2 Там же.

Но избранных очень мало. Вскоре возникают соперничество и зависть. Тем паче что учитель все время ухаживает за «своими» протеже и без конца меняет фавориток. Большинство женщин, окружающих Кастанеду, имеют худую, стройную фигуру, маленькую грудь и короткие волосы. Карлос лично следит за их прическами. Быть может, в прошлом он был парикмахером? Он с большим удовольствием собственноручно «лепит» своих любовниц. Стрижка волос служит прекрасным предлогом для любовного свидания[1].

Карлос также очень требователен к внешнему виду. Когда адептов приглашают в дом в Вествуде, они должны быть нарядно одеты. Порой можно поклясться, что они собрались на свадьбу. Правила в одежде все время меняются. Реджин Тол часто задает тон и предписывает ношение того или иного наряда. Как-то раз в ресторан явились с десяток женщин, одетых в белое, потому что таково было решение *Флоринды.*

Писатель продолжает видеться с Эми Уоллес. Он управляет ее жизнью и звонит ей по многу раз в день. Он запрещает идти к дантисту, когда у нее ужасно болят зубы. Он контролирует и выводит ее из себя, но с ним ей весело, он потрясающий, он ее слушает. Она любит его. Однако у Эми бунтарский характер, завербовать ее нелегко. Когда у нее умирает дядя, она идет на похороны. Это мятежный поступок. Карлос требует от учеников порвать все семейные узы и бежать от свадеб и похорон, словно от холеры или чумы. Но Эми Уоллес упорно сопротивляется. Когда Карлос узнает, что она ходила на похороны, он вне себя от гнева.

И все же их любовная связь не прекращается. И в ней бывают тягостные минуты. Карлос желает заняться

---

1 Из беседы с Эми Уоллес от 12.02.2004 г.

с Эми любовью в фамильном доме семьи Уоллес. Ему хочется, чтобы она отдалась ему в своей детской. По его словам, этот ритуал посвятит ее в колдуньи. В конце концов она соглашается и уступает ухаживаниям старика, когда мать ненадолго отлучается из дому. Таким образом, Карлос удовлетворяет свою сексуальную фантазию.

Теперь Эми Уоллес по-настоящему близка с тем, кого она считает внимательным отцом, страстным любовником и суровым учителем. Двери веcтвудского дома для нее открыты. В комнате Карлоса ее поражает один предмет. На тумбочке у кровати она замечает фаллоимитатор. И с удивлением узнает, что Карлос пользуется им… как подставкой для очков. В другой комнате она видит настоящую Вавилонскую библиотеку, где собраны все издания книг Карлоса.

Страстно увлекшись новой реальностью, Эми Уоллес пытается стереть свое прошлое и даже избавляется от двух любимых кошек. И все же она сильная личность и плодовитый писатель. В 1990 году в бостонском издательстве «Хафтон-Миффлин» она публикует напряженный эротический роман «Желание» из жизни торговцев жемчугом. Однако все это не имеет значения! Карлос приказывает ей немедленно наняться в официантки. Эми повинуется беспрекословно и отказывается от комфортной жизни. Разве она не дочь знаменитого писателя? Она располагает значительным состоянием, и у нее нет никакой нужды готовить завтраки в отеле. Но Карлос сказал свое слово. Выходя с работы, она иногда звонит ему. Он отвечает жестоко и грубо: «Я ссу на тебя. Ты просто дерьмо. (…) Еврейка до мозга костей! Кто мы, по-твоему – мексиканец и еврейка? Ты с детства жрала на золоте. Ты за всю жизнь ни дня не работала. В этом ресторане бывают евреи?

– Да.

– Они оставляют чаевые?

– Нет. Это ведь отель.

– Вот видишь! Евреи хуже всех – они не дают чаевых!»[1]

Эми Уоллес влюблена. Она попадает в зависимость. Если Карлос не звонит, она любыми средствами пытается с ним связаться. При встрече он оскорбляет ее, игнорирует, изредка занимается с ней любовью в отелях. Чем больше она ему поклоняется, тем меньше он ее уважает.

«Я ВИДЕЛА РОЖДЕНИЕ СЕКТЫ»

В марте 1994 года Кастанеда дает одновременно два интервью журналам «Дневник нового века» и «Подробности». Этот совместный проект довольно оригинален и привлекает внимание. Журнал «Дневник нового века», пользующийся широкой популярностью и посвященный нетрадиционным духовным течениям, представляет Кейт Томпсон. Беседа длится около четырех часов. Кастанеда, как всегда, выглядит обаятельным, забавным и таинственным. Почему он решил нарушить молчание? «Потому что я нахожусь в конце пути, по которому шел тридцать лет». Статья выходит под громким заголовком: «Карлос Кастанеда заговорил! После десятков лет уединения неуловимый писатель нарушил молчание»[2].

Интервью для журнала «Подробности» взял Брюс Вагнер, который уже давно входит в круг приближенных Кастанеды. Пользуется ли он особым статусом?

---

1 Amy Wallace «Sorcere's Apprentice».

2 Keith Thompson. «An Interview with Carlos Castaneda. Portrait of a Sorcerer», New Age Journal, march 1994.

Брюс Вагнер – известный режиссер и состоявшийся продюсер. Бывший муж актрисы Ребекки де Морней, он в том числе снял фильм «Я тебя теряю» с Розаной Аркет в главной роли. А также вместе с Оливером Стоуном стал продюсером сериала «Дикие пальмы». Отличительная черта Вагнера в том, что помимо своего творчества он параллельно вращается в тесном мирке Кастанеды.

Во многих отношениях статья в «Подробностях» смущает и приводит в замешательство. Можно ли назвать ее настоящим интервью? Рассуждения Вагнера сменяются размышлениями Кастанеды. Это статья писателя, а не журналиста: «Карлос Кастанеда здесь больше не живет». Очень верное замечание по сути, ибо странник давно уже переселился в другой мир: «Этот человек вакуум, туннель, рассказчик историй», – добавляет Брюс Вагнер в своей странной, поэтичной статье, пропитанной кастанедовской «философией»[1].

В апреле 1995 года в журнале «Тело, разум, дух» Вагнер вновь публикует беседу с Карлосом под поясняющим заголовком «Тансегрити Карлоса Кастанеды: модернизация древних магических пассов». На этот раз режиссер становится обычным репортером и только передает слова нагваля[2].

20 октября 1995 года автор «Диких пальм» женится на некой *Каролине Леоноре Аранха.* Возможно, речь идет о Кэтлин Полманн, она же *Кэрол Тиггс,* она же *Муни Аранха.*

В этот период женские семинары, которые ведут *Нури Александер, Флоринда Доннер* или *Кэрол Тиггс,* проходят все

---

1 Bruce Wagner. «You Only Live Twice», Details, march 1994.
2 Bruce Wagner. «An interview with Carlos Castaneda. Carlos Castaneda's tansegrity. The modernization of ancient magical passes», Body Mind Spirit, april 1995.

чаще и собирают все больше народу. Один из них состоялся 24 и 25 марта в Мауи, под щедрым гавайским солнцем. Журнал «Йога джорнэл», отправивший туда Холли Хаммонд, опубликует эксклюзивные фотографии, снятые *Зайей Александер.* На них мы видим на пляже трех главных преподавательниц магических пассов, которых Кастанеда называет *чакмулами:* внушительных форм блондинка по имени *Кайли Ландал* в окружении двух худых и стройных *Ниеи Мурес* и *Рени Мурес.* Невозможно оторвать глаз от этих грозных воительниц, этих амазонок со стальным взглядом, исполняющих причудливый танец[1].

Семинар проходит на глазах двухсот пятидесяти человек, собравшихся в бальном зале отеля «Риц Карлтон». Атмосфера типичная для «нового века». Большинство из наставников, как назло, потеряли багаж в аэропорту, и участникам приходится долго ждать. Из синтезатора звучат одни и те же медленные чарующие мелодии. Наконец торжественно появляются три грации в черных облегающих трико: «Я *Кайли Ландал.* Я произношу это имя, потому что *Кайли Ландал* – это сон. Меня видят во сне, и я должна сделать этот сон явью»[2]. Зрители удивлены таким комично-таинственным вступлением. Никто не знает, что настоящее имя *Кайли Ландал* – Ди Эн Джо Элверс. *Ниеи* и *Рени Мурес* отнюдь не сестры. На самом деле их зовут Карен Махони и Алексис Бурзински. Карлос попросил их взять новые имена, сотворенные в мире сновидений, более реальном, по его словам, чем сама жизнь. Таким образом, он царит в кровосмесительной семье мира грез.

В 1995 году Кастанеда официально удочеряет Патрисию Ли Патин, известную под именем *Нури Алексан-*

---

1 Holly Hammond, «Carlos Castaneda's Tansegrity», Yoga Journal, November 1995.

2 Там же.

дер. В это же самое время та, кого Карлос поэтично называет «голубой разведчицей», твердо становится на ноги. В августе 1995 года Ирма Елена Арриага открывает частную булочную на бульваре Санта-Моника – «Блю скаут Бэкери», булочная «голубой разведчицы». «Голубая разведчица» работает в паре с «оранжевой разведчицей», которую зовут Премахиоти Гальвес и Фуэнтес, но которая в 1993 году сменила имя на *Тичо Аранха.*

Семинары, организованные в 1995 году в Калвер-сити и Анахайме, становятся решающим этапом. Их главная цель – подготовить торжественное и небывалое возвращение Карлоса из подполья. Чтобы попасть на семинар, нужно заплатить полторы тысячи долларов. Посетители могут купить брошюры, украшения, а также футболки с надписью «Тансегрити. Магия в движении»... Тансегрити оказывается прибыльным бизнесом.

Самый первый семинар в Анахайме состоялся в декабре 1995 года в присутствии более четырехсот человек. Честно говоря, «духовное» мероприятие очень напоминало рок-концерт.

В первом отделении *Кайли Ландал, Ниеи Мурес* и *Рени Мурес* изобразили заученный танец магических пассов. При виде этих поз беспристрастный зритель недоумевает: и в тансегрити есть место шутке... Как если бы Карлос хотел втихомолку посмеяться над чересчур наивными учениками. Движения напоминают смесь боевых искусств с каким-то замысловатым балетом. Зрители старательно и неумело пытаются повторять за величественными танцовщицами в черном. Видеокассеты с записями уроков, по которым можно заниматься дома, стоят недорого – двадцать четыре доллара девяносто пять центов. Их реализовывал Брюс Вагнер от имени ассоциации с причудливым названием «Центр чакмул за обостренное восприятие».

В Анахайме разгоряченная публика с нетерпением ждет явления самого божества. Под истерические приветствия возбужденной толпы гуру выходит на сцену. В зале несколько аккредитованных журналистов, среди которых Бенджамин Эпштейн из «Лос-Анджелес таймс»[1]. Кастанеда берет микрофон и начинает долгую импровизированную речь. Записывать за мэтром не разрешается. Однако Эпштейн запомнил кое-что из потока слов: «Мы без конца повторяем одни и те же лозунги. Мы не умеем мыслить самостоятельно. «Бог создал человека по своему образу и подобию»? Что это значит? Ничего! Но мы упорно цепляемся за это утверждение. Почему?»[2]

Творец и диалектик, Кастанеда смущает, интригует и будоражит умы. Но что думать об этих хорошо сложенных американцах в разрисованных футболках, которые усердно упражняются в странной дерганой гимнастике, так напоминающей ритуальные танцы калифорнийских индейцев? Может, знание «толтеков», в конце концов, пропагандировало аэробику?

На магических пассах стоит остановиться особо. Стоит ли относиться к ним как к смеси боевых искусств, тайцзицюань, гимнастики и телевизионного балета, рассчитанной на широкую публику, или эти мудреные движения заряжены некой магической силой? Ричард Дженнингс уже много лет вращается в кругу «исследователей». Изучив ислам, дзен и даосизм, он примкнул к группе по изучению фэн-шуй, которой руководил профессор Лин. В 1995 году он проходил курс психотерапии

---

1 Benjamin Epstein. «The mystical man. One of the most elusive writers of our time, Carlos Castaneda returns (briefly) to share a few secrets with devotees. To remain invisible, he says, is the sorcerer's way». Los-Angeles Times, 26 december 1995.

2 Там же.

по методу Юнга. Движимый воспоминаниями о первых книгах Кастанеды, он участвует в одном из семинаров, организованных *чакмулами:* «Этот семинар стал определяющим. Я испытал необычное состояние. Во мне что-то открылось»[1]. Французский фотограф из Лос-Анджелеса Франсуа Миллер горячо защищает тансегрити: «Благодаря этим движениям я смог остаться в группе. Я достиг улучшения самочувствия, прилива энергии, ощущения легкости, бодрости, мое внимание обострилось»[2].

Появление Кастанеды на публике вскоре вызывает огромное любопытство. Журнал «Пари-Матч» тут же решает отправить в Калифорнию Мари-Терезу де Брос, которая часто пишет статьи про «паранормальные» явления[3]. Она действительно знакома с двумя француженками из Калифорнии, входящими в состав группы: Софи и Терезой. Ее статья выходит 28 марта 1996 года под в высшей степени критическим заголовком «Я видела рождение секты. Побывав на грандиозном шоу Карлоса Кастанеды, знаменитого писателя-гуру, наш репортер делится своей тревогой»[4].

Мари-Тереза де Брос присутствует на одном из семинаров в Анахайме. Ее сразу настораживает полицейская атмосфера: «Запрещено снимать на видео, записывать на пленку, фотографировать и даже делать пометки. Вход на семинар охраняют не хуже, чем Форт Нокс, после тщательного досмотра на ладонь ставят печать, которая служит пропуском».

---

1 Из беседы с Ричардом Дженнингсом от 06.02.2004 г.

2 Из беседы с Франсуа Миллером от 13.02.2004 г.

3 Ее перу принадлежит множество разоблачительных статей. В частности, «Расследование похищений инопланетянами», издательство «Плон». Париж, 1995.

4 Marie-Thérèse de Brosses. « J'ai vu naître une secte. Après avoir assisté au grand show de Carlos Castaneda, le célèbre écrivain gourou, notre reporter dit son inquiétude», Paris-Match, 28 mars 1996.

Мари-Тереза смешивается с толпой. Вместе с другими кое-как пытается повторять движения со сцены. Внезапно всех охватило волнение: «Шепот, недоверчивое бормотание нарастали, и вдруг зал взорвался овацией: Карлос! Карлос Кастанеда! Здесь! Среди нас! Собственной персоной! Как обычный человек! Вокруг меня люди уже не радовались, а бились в экстазе! Было похоже на коллективный оргазм».

Выход мэтра отрепетирован много раз. Кто это – рок-звезда или гуру? Французская журналистка не верит своим глазам. Она слушает долгую цветистую речь, отмеченную хохотом и аплодисментами. Карлос то и дело меняет тон. Опытный шоумен, он то паясничает, то притворно скорбит, на ходу меняя маски. Зритель раскошелился не зря.

Народ ликует, а Мари-Тереза де Бросс хладнокровно наблюдает за непонятным восторгом: «Практиканты возбуждены: они сами стали Кастанедой, а Кастанеда – их доном Хуаном. Они тоже хотят испытать магические опыты. Одни из участников совершенно серьезно спросил у меня: «А в других измерениях принимают кредитные карточки?»

К своему великому изумлению, журналистка «Пари-Матч» обнаруживает, что на нее оказывают прямое давление: «Написав статью, я должна была отослать ее в их организацию («Клиагрин инкорпорейтед»), чтобы ее прочли и исправили; я не смогу опубликовать статью без их разрешения, а также, по письменному обязательству, не имею права ни изменить, ни удалить ни одного слова, предоставив все права на публикацию «Клиагрин инкорпорейтед». Однако «Пари-Матч» отказывается от таких драконовских условий. И Мари-Тереза делает вывод: «(...) Тот, кто всегда повторял, что он никакой не гуру, представляется мне самым настоящим гуру.

Непримиримый сектант и догматик, не терпящий возражений и критики».

Однако журналистка еще добавляет: «Но есть кое-что и похуже. Кастанеда любит повторять (...), как дон Хуан и его четырнадцать спутников, которых сжигал «внутренний огонь», якобы прыгнули в пропасть в 1973 году, чтобы вознести свои светящиеся тела, не оставив после себя ничего на Земле. Для Кастанеды такая смерть (...) представляет собой заключительную цель жизни».

Возможно ли, чтобы Карлос внушал своим последователям, что рано или поздно они тоже должны будут «прыгнуть» в бездну? Когда в «Сказках о силе» он описывал прыжок-посвящение в метафизическую пропасть, никто не мог представить, что однажды Кастанеда потребует настоящего прыжка.

В девяностые годы растет число сект и коллективных самоубийств. Мог ли Карлос однажды толкнуть свою паству на столь чудовищный поступок?

Общественное мнение о нем довольно запутанно. В то время, как тансегрити переживает пик популярности, выходит биографический словарь философов XX века. В нем Кастанеда соседствует с Виттгенштейном, Лениным и Троцким, не говоря уже о Ролане Бартесе, Жане Бодрийяре, Луи Альтюссере, Жане-Франсуа Лиотаре, Карле Поппере и Льве Толстом. В придачу к своим похождениям он теперь причислен к деятелям культуры.

Статья в «Пари-Матч» привела Кастанеду в немыслимую ярость. Он часто упоминает о ней во время собраний «воскресной группы». Конец этой истории неясен. В последующие месяцы сторонники Кастанеды пытаются организовать семинар в Париже. Будет ли это «ответом» на статью или, напротив, «Пари-Матч» способствовал воплощению давно назревшей идеи? Как бы там ни было, встреча на французской земле так и не состоялась.

У Карлоса давнишние предрассудки насчет Франции. Иногда он довольно резко отзывался об интеллигенции Сен-Жермен-де-Пре. А «мэтр Мишель Фуко» – одна из его любимых мишеней.

И все же он много раз в строжайшей тайне посещал Париж. Так, в начале девяностых он приехал во Францию по просьбе Патрисии Ли Патин. Его сопровождали *Флоринда Доннер* и *Кэрол Тиггс.* Небольшая компания поселилась в скромном и неприметном парижском отеле. Кастанеда никогда не пытался связаться со своими французскими корреспондентами. Он даже не общался с издателем. За все время пребывания он был в плохом настроении. Целыми днями он пил кофе и поедал пирожные. Ходить в музеи не пожелал, и, казалось, ничто его не интересует. «Он вел себя как парализованный», – говорит Эми Уоллес, ссылаясь на слова *Кэрол Тиггс*[1]. Во Франции никогда не привьется тансегрити. Однако произведения Кастанеды будут переиздаваться там до наших дней.

Что касается «Клиагрин», она, в конце концов, организует сеансы в Мексике, Испании, Италии, Германии и Аргентине. В Великобритании даже появляется общество, пропагандирующее тансегрити, – «Воркшопс траст». Успех в Мексике оглушительный. Карлос выступает все чаще и открывает фирму под названием «Вердекларо», которая следит за доходами от представлений. В этот период он общается с преподавателем университета по имени Джокобо Гринберг. Позднее Гринберг бесследно исчезнет. Его жену, Теру Гринберг, будут подозревать в убийстве. Та громко заявляет о своей невиновности и тесно общается с *Флориндой Доннер.*

С 1994 года группа сближается с «Каса Тибет», буддийской ассоциацией, которой руководит в Мексике

---

1 Из беседы с Эми Уоллес от 11.02.2004 г.

Марко Антонио Карам. Говоря о распространении тансегрити в мире, Эми Уоллес едко замечает: «В двадцатые годы образовалась группа женщин в Барселоне. Другие женщины были в Мексике. Если к этому прибавить группу из Лос-Анджелеса, получится три гарема»[1].

Средства, собранные на семинарах, позволяют финансировать учебный журнал. С июня 1994 года по февраль 1995 года по личной инициативе Дэна Лоутона уже выпускался независимый журнал «Нагвалист». Однако «Клиагрин» добилась его закрытия. Кастанеда не любит чересчур независимых выступлений, даже если они совершаются внутри сообщества, которым он руководит.

Новый журнал выходит в январе 1996 года. «Путь воина, журнал прикладной герменевтики», разработка макета принадлежит Патрисии Ли Патин. Издание распространяется только по подписке. Выходит, однако, всего четыре номера. Его сменяет «Читатели бесконечности», который выпускается под строгим надзором «Клиагрин».

28 мая 1997 года умирает Марион Патин, отец Патрисии, так и не повидавшись с дочерью. По приказу Карлоса, она не навещала отца двадцать лет.

Отныне Карлос предстает в образе популярного благодаря средствам массовой информации «мудреца», призванного сдерживать бурный восторг неистовых поклонников. В 1997 году группа насчитывает семь тысяч адептов. В девяностые годы даже появляется горстка магов отщепенцев, которые, в свою очередь, объявляют себя учениками дона Хуана и скорее всего происходят из группы Карлоса. Самые активные из этих самозваных нагвалей Виктор Санчес и Мерилин Тюнншенд: «Я не знал дона Хуана лично, но я познакомился с Карлосом Кастанедой и

---

1 Из беседы с Эми Уоллес от 12.02.2004 г.

извлек выгоду из его произведений», – утверждает Виктор Санчес в книге под недвусмысленным названием «Учение дона Карлоса, практическое применение произведений Карлоса Кастанеды». Санчес не лжет. Когда-то он участвовал в создании английской группы. Что же касается Мерилин Тюнншенд, она входила в группу. Теперь она хвастается учением некоего загадочного индейца по имени Джон Блэк Крау, которого, в свою очередь, описывает как нагваля. «Клиагрин» ведет суровую юридическую войну с диссидентами с целью заставить их замолчать.

Можем ли мы на этом этапе нашей повести сделать вывод, что движение тансегрити напоминает секту? В каком-то смысле группа Карлоса скорее ближе к сюрреалистам из секты «Мун». Так же как Андре Бретон когда-то был председателем при приеме и исключении, так и Карлос окружает себя то и дело меняющимся кругом избранных.

Платные семинары предназначены для широкой публики. Туда может прийти как друг, так и противник, при условии, что заплатит за вход. Совсем по-другому обстоит дело в «воскресной группе» и «вечерних сессиях», которые вскоре ее дополнят. В этих ежедневных мероприятиях можно участвовать только по личному приглашению Карлоса.

В зависимости от настроения «наставник» может принимать, а затем исключать. Он строго требует постоянного присутствия. Стоит раз не прийти, и тебе укажут на дверь. Критерии отбора самые суровые. Нужно без конца доказывать наличие магических способностей, судить о которых может только Карлос. Такой порядок вскоре порождает детские комплексы. Ученики дерутся за право стать любимчиками мэтра.

Довольно трудно составить список этой внутренней группы – в нее попадают и из нее вылетают в зависимости от настроений нагваля. Если все-таки попытаться назвать имена, сразу замечаешь, что за ними тянутся псевдонимы. Будущие воины порвали с родней, избавились от личных вещей, сожгли все мосты и придумали разные имена, которые наслаиваются друг на друга, чтобы вернее запутать след. Для удобства псевдонимы заключены здесь в скобки. Итак, более или менее активными участниками кастанедовской воскресной группы в 1997 году можно считать Кэтлин Полманн *(Кэрол Тиггс, Кэрол Аранха, Каролина Леонора Аранха, Элизабет Остин, Муни Аранха, Муни Александер, Кэрола Александер)*, Реджин Тол *(Флоринда Доннер, Флоринда Доннер-Грау)*, Мэриенн Симко *(Тайша Абеляр, Анна-Мари Картер)*, Патрисия Ли Патин *(Нури Александер)*, Ди Эн Джо Элверс *(Кайли Ландал)*, Алексис Бурзински *(Рената Мурес, Рени Мурес, Рени Александер, Анджела Панаро)*, Карен Махони *(Ниеи Мурес, Клер Берон)*, Премахиоти Гальвес и Фуентес *(Тичо Аранха)*, Брюс Вагнер *(Лоренцо Дрейк)*, Трейси Крамер *(Джулиус Ренард)*, Амалия Маркес *(Талия Бей)*, Федерико Джинот *(Брендон Скот, Филип)*, Мария Гваделупе Бланко *(Аэрин)*, Фабиана Помпа *(Дариен)*, Умберто Фонтанес *(Фабрицио Магалди)*, Сюзан Арслан *(Зайя Александер)*, Рин Гальвес и Фуентес *(Карола Гарсия Арслан)*, Эми Уоллес *(Эллис Финнеган)*, Пауло Риварола *(Майлс Рейд)*, Нина Блейк *(Хейли Александер ван Устин)*, Маркос Конал *(Лерой Робинсон-Уэлби)*, Стив Левинсон *(Грэнт Восфер)*, Дерби Ромео *(Уилки Макларен)*, Пол Гатсмутс *(Феликс Вулф)*, Мишель Стинсон *(Райлин Демарис)*, Хейко Хипкен *(Гевин Алистер)*, Ричард Дженнингс *(Кори Донован)*, а также Вирджиния Ли[1], Маргарета Нието, Дэн Лоутон и Франсуа Миллер[2].

---

1 В окружении Карлоса имена часто перемешиваются и повторяются. Никаких родственных связей между Вирджинией Ли, Патрисией Ли Патин и Говардом Ли не существует.

2 Я благодарю Ричарда Дженнингса и Габи Гетен, которые великодушно помогли мне составить этот список.

Последний познакомился с творчеством Кастанеды в 1984 году, когда вышла книга «Внутренний огонь»: «Я прочел книгу за сутки. В те времена я служил судебным секретарем в Монреале. Я почувствовал, что совершенно иссушен жизнью. И начал отдаляться от привычного мира»[1]. Годы спустя он случайно наткнулся на рекламное объявление семинара тенсегрити, а в 1995 году наконец побывал на семинаре, проходившем в квартале Калвер-сити, в Лос-Анджелесе. Затем он попал в «воскресную группу». «Я сжег мосты. Я не видел свою семью десять лет», – добавляет этот адепт и поныне убежденный в верности учения Кастанеды.

Кастанеда довольно часто заявляет, что воздержание – отличительная черта воина. По его словам, очень важно не растрачивать свое семя. Почти все мужчины, за исключением нескольких негласных отступников, принимают правила игры. «Я не отказался от половой жизни», – признается, однако, Франсуа Миллер. Мужчинам предписано сдерживать свой пыл, но ученики знают, что сам Карлос небезразличен к плотским утехам. Он заводит все новых подруг, становясь ревнивым и единственным любовником женщин, которые дерутся между собой за место фаворитки. Во время семинаров первый ряд занимает маленькая кучка любимых жен. Каждый стул подписан. Согласно своему положению на сегодняшний день, женщина садится ближе или дальше от эстрады. Такое распределение подчеркивает статус. Зачарованные «колдуньи» живут в мире ревности, обид и детских наговоров.

Грег Мэмишен и его подруга Габи Гетер входят в состав группы с 1993 года. В 1996 году Карлос внезапно решает уволить половину участников. Эми Уоллес вы-

---

1 Из беседы с Франсуа Миллером от 13.02.2004 г.

зывается сообщить дурную новость по телефону. Многие не понимают, отчего вдруг им выпала такая немилость. Каждый живет в постоянном страхе. Когда состоится следующая чистка? Люди почти дерутся за благосклонность Карлоса. «Нас пригласили, а потом выгнали без объяснения причин», – рассказывает Ричард Дженнингс.

Габи Гетер и Грега Мэмишена исключили в 1996 году, ничего не объясняя. Изгнание их возмутило.

В апреле они вооружаются фотоаппаратом и видеокамерой, шпионят за писателем и нелегально снимают его. Тот никогда не разрешал записывать себя на пленку или снимать. Он всю жизнь прятался, подключал и отключал телефонные линии и менял сотовые телефоны. Грег и Габи решают бросить ему вызов. Карлос проповедует путь воина. Тогда почему бы в ответ не поохотиться на него как на дичь и посмотреть, человек ли он и останется ли его изображение на пленке? Многие ученики убеждены, что Кастанеда – сверхчеловек. Снимать его и шпионить за ним – значит обнаружить скрытые стороны жизни того, кто не желает выглядеть простым смертным. Спрятавшись в машине, оба «охотника» следят за тем, когда писатель уходит и возвращается, снимают его тайком и даже опускаются до того, что крадут его мусор, чтобы потом отсортировать. «Мусор не соврет»[1], – равнодушно заявляет Габи Гетер.

Августовским утром 1997 года оба охотника захвачены на месте преступления Карен Махони, она же *Нициеи Мурес*. После недолгого преследования по холмистым улицам Вествуда *Ниеи* вырывает мешок с мусором из рук Габи Гетер и размахивает им, как трофеем. Карлос

---

[1] Из беседы с Габи Гетер и Грегом Мэмишеном от 08.02.2004 г. См. также Gaby Geuter. «Filming Castaneda, The Hunt for Magic and Reason», 1st Books. Bloomingtom, 2004.

запаниковал. Он обратился в полицию и стал подумывать о переезде. Он даже предложил Ричарду Дженнингсу купить у него дом[1]. Однако, в конце концов, пропагандист тансегрити успокоился и продолжал жить своей жизнью вожака стаи.

Во многих отношениях свидетельство Габи Гетер и Грега Мэмишена открывает массу интересных подробностей и дополняет рассказы других учеников. За время долгой слежки «шпионы» обнаруживают, что Карлос содержит многих женщин, кое-кто из них живет на Пандора-авеню. В круг фавориток, число которых то и дело меняется, в том числе входят *Флоринда Доннер, Кайли Ландал,* Мэри Джоан Баркер, *Ниеи Мурес* и *Тайша Абеляр.* Что касается *Кэрол Тиггс* и *Нури Александер,* у них квартиры на Рочестер-авеню, недалеко от Пандоры. Трейси Крамер, *Рени Мурес* и *Ниеи Мурес* живут на Меннинг-авеню. Зная, что у Эми Уоллес есть дом на Холмби-авеню, можно заключить, что вся семья сосредоточена вокруг эпицентра Пандоры.

Карлос и его приближенные ведут вполне безобидный образ жизни. Они ходят в рестораны и кафе Вествуда и смотрят почти все фильмы, которые выходят на экран. Женщины много времени тратят на покупку шикарной одежды. Можно удивиться такому банальному времяпрепровождению. Разве кастанедовская группа не пребывает в ежедневной экзальтации? Разве не сновидения управляют их повседневной жизнью?

Может, в конце концов, подобная жизнь как раз отражает желание лишить себя ореола «духовного наставника»? Ведь, кроме разговоров о могуществе своей спермы и своих сверхчеловеческих способностях, Кастанеда отнюдь не рядится в мантию творца вселенной.

---

[1] Из беседы с Ричардом Дженнингсом от 11.02.2004 г.

Внешне он всячески подчеркивает собственную «нормальность», чтобы вернее высмеять главарей сект, превращающих свою жизнь в ритуал. В этом его вечная двойственность. Этот человек вызывает отвращение и завораживает. Он одновременно поэт и «гуру». Свет и тень: «Когда настраиваешься на его волну, невозможно сомневаться в истинности его слов», – признается Франсуа Миллер и добавляет: «Карлос Кастанеда был реаниматором духа»[1].

Помимо прочего писатель бывает в кубинском ресторане «Версаль», расположенном в доме 10319 по Винис-бульвару. В этом есть своя доля юмора. Журналисты всегда говорили, что он похож на «кубинского официанта». Может, ему захотелось приблизиться к своему прототипу? «Версаль» – место далеко не «эзотерическое» и полная противоположность ресторанов с макробиотической или вегетарианской диетой. Это популярная многолюдная столовая, где накладывают щедрые порции мяса с политой маслом жареной картошкой. Там, положив рядом с тарелкой фуражку, между дежурствами обедают полицейские в форме. Кастанеда приходит туда каждый день. Вскоре в «Версале» устраивается необычный балет. Посетители под тридцать с нетерпением теснятся за столиками в ожидании нагваля и его женщин. В «Версале» король общается со своей свитой. Некоторые ученики иной раз осмеливаются заговорить с «магом». Тот не скупится на добрые слова и поддержку. Хозяева ресторана довольно потирают руки. Кто еще из клиентов способен так увеличить выручку?

Грегу и Габи известно не все. Пока поклонники угощаются кубинской кухней, которую подают официанты с напомаженными волосами, точно вышедшие из

---

1 Из беседы с Франсуа Миллером от 13.02.2004 г.

фильмов Мартина Скорсезе, Кастанеда иногда отправляется в более укромные места, известные его приближенным. В Вествуде его можно встретить в «Мусташ-кафе», в доме 1071 по Глендон-авеню. Он также водит своих подруг в шикарный ресторан, где подают великолепное мясо – «Пасифик Дининг Кар», 2072 по Уилшир-бульвару. У Карлоса проявляются некоторые черты параноика. Он садится всегда спиной к стене и лицом к входной двери. Часто рассказывает о своих «подвигах», совершенных в то легендарное фантастическое время, когда он общался с «таинственными силами». В этих воспоминаниях Карлос подробно останавливается на сценах насилия.

Помимо других занятий, группа тансегрити вскоре решает устраивать спектакли. Во время воскресных собраний адепты часто собираются в труппу под названием Театр Бесконечности и ставят короткие пьесы, где зачастую в гротескной и карикатурной манере высмеивают причуды своих собратьев, чересчур привязанных к собственному «я», или глумятся над современниками. Вначале у Театра Бесконечности особое предназначение – это уединенное место для занятий тансегрити. Скетчи, которые там разыгрывают, зачастую едкие и язвительные. На сцене в основном руководит Патрисия Ли Патин. Однажды она просит Эми Уоллес, из уважения к Джеймсу Джойсу взявшую псевдоним *Эллис Финнеган*, пародировать певицу в стиле кантри Петси Клайн. Зрители часто оборачиваются к Кастанеде. Соблаговолит ли главный судья улыбнуться? Если лицо «гуру» сияет, зал смеется и рукоплещет. Но если мэтр недовольно скривился, актер спешит покинуть сцену и, спрятавшись в укромном уголке, сгорает от стыда. Кто знает, пригласят ли его снова? Возможно, по сути, Театр Бесконечности всего лишь калифорнийская версия Театра жестокости. Во всяком случае, драматургия Кастанеды напоминает спектакли группы «Це» Родриго Ариаса. Те же утрированные жесты и похожие претензии на хореографию.

Надо признаться, театр вторгается и в повседневную жизнь. Карлосу наскучила Мэри Джоан Баркер, которая уже давно живет в Вествуде. Как ее прогнать? Писатель придумывает необычный способ. По его приказу Ричард Дженнингс переодевается агентом по недвижимости. Он должен заставить Мэри Джоан Баркер поверить, что дом продается, чтобы вынудить ее уехать. Маскарад Дженнингса глубоко огорчает бедную женщину[1]. Куда идти той, которая для Кастанеды пожертвовала всем? Честное слово, Карлос любит помучить своих женщин.

Вскоре организовываются сугубо женские собрания. Некоторые преданные ученицы отправляются на вершину холма, расположенного неподалеку от Лос-Анджелеса. Вдали от мужских глаз они ложатся на голую землю и снимают трусы, чтобы пропитаться магическим ветром. Можно частенько видеть группу из десяти–пятнадцати обнаженных женщин, лежащих бок о бок в ожидании особенного энергетического бриза. На одном из семинаров, проходившем в марте 1996 года в УКЛА по теме «Энергетическое тело женщины», *Флоринда Доннер* заявила, что дон Хуан когда-то попросил ее «подставлять влагалище ветру». Потом он показал ей свой член, самый большой, какой ей когда-либо приходилось видеть. По приказу старого мудреца она якобы уснула и была разбужена молодыми мексиканцами, которые ее насиловали. Потом дон Хуан велел ей никогда не надевать трусы[2].

---

1 Из беседы с Ричардом Дженнингсом от 11.02.2004 г.
2 Информация взята на сайте www.sustained.org

ВРЕМЯ УСТАЛОСТИ

В то время как группа учеников продолжает расправляться с соперниками, жестокость и извращенность Карлоса возрастает.

Карлос Кастанеда болен, но как давно? В книге «Ученица мага» Эми Уоллес говорит о диабете, от которого у него развилась глаукома и понизилось зрение. Ричард Дженнингс тоже упоминает об этом: «Он давно страдал диабетом. Его зрение упало. В 1996 году он уже не мог водить машину. И он больше не чувствовал своих ступней»[1].

В 1997 году у Кастанеды обнаружен рак[2]. 14 и 15 февраля 1997 года писатель руководит семинаром тансегрити на Лонг-Бич. Это его последнее появление на публике. У каждого свежи в памяти его тревожные слова. Он рассказывает забавный случай, произошедший не так давно. Кто-то позвонил в офис «Клиагрин» и объявил о смерти Карлоса Кастанеды. Но оказалось, что речь идет об однофамильце! Когда *Талия Бей* услышала это известие, она испугалась и упрямо закричала: «Нет, Карлос Кастанеда не умер!» Писатель объявил такое поведение слишком чувствительным и недостойным воина. И процитировал слова дона Хуана о том, что он может уйти в любую минуту. Главное, иметь удобную обувь. В заключение Карлос произнес фразу в стиле Вуди Аллена: «А мне моя обувь нравится»[3].

Весной его самочувствие ухудшается. Во время ночной сессии, предназначенной для «ближнего круга», он

---

1 Из беседы с Ричардом Дженнингсом от 11.02.2004 г.

2 Вероятнее всего, болезнь появилась раньше, но в этот период отмечаются явные признаки.

3 Из беседы с человеком, пожелавшим остаться неизвестным, от 04.09.2003 г.

неожиданно слабеет и его приходится вывести. В субботу 7 июня он впервые пропускает занятие.

В этот опасный период «мудрец» становится все более деспотичным. Его стремление унизить не знает границ. Хочет ли он заняться любовью? Он вызывает ту или иную наложницу, которая тут же принимает розмариновую ванну и спешит на зов в страхе быть изгнанной. В доме каждой фаворитки рано или поздно раздается неотвратимый телефонный звонок. Не дай бог куда-нибудь отойти. Карлос терпеть не может автоответчики. По словам одного француза из Лос-Анджелеса, чья близкая подруга в ту пору стала жрицей и наложницей Кастанеды, «в его окружении царил страх».

Женщин терзает жестокая ревность. Очередную избранницу ненавидит вся группа. *Флоринда Доннер* держится старшей по общежитию. В «грубой любви» она не новичок и в жестокости может поспорить с Карлосом. Но разве ее тоже не сжигает ревность?

В конечном счете, центральное место в учении Карлоса занимает секс. Женщина может стать «колдуньей» лишь при условии, что примет магическое семя, которое пропитает ее мозг. Волшебной спермой наделен только Карлос. Официально группа тенсегрити проповедует воздержание. Разглашение тайны свидания грозит немедленным исключением. Таким образом, простые ученики ничего не знают о мерзостях, творящихся наверху. Карлос присваивает себе привилегию «шаманского соития», которое приводит женщину в состояние «внутреннего безмолвия».

Весной 1997 года канадское издательство «Милления-пресс» обрушивает неожиданную бомбу. Маргарет Раньян наносит удар, потрясший до основания всю структуру, – выпускает автобиографическую книгу «Магическое путешествие с Карлосом Кастанедой». Бывшая супруга впервые рассказывает о склонности Карлоса к мифомании и описывает их совместную жизнь в пятидесятых–шестидесятых годах. «Клиагрин» немедленно реагирует. Карлос и его адвокаты требуют сто тысяч долларов с процентами за моральный ущерб. Они тщетно пытаются добиться запрещения книги.

В июле 1997 года Карлос Кастанеда окончательно упраздняет «воскресную группу». Он больше не выступает на «вечерних сессиях», проводившихся почти ежедневно. Ученики в растерянности. Некоторое время они продолжают собираться по воскресеньям без Карлоса. Пол Гутсмутс и Ричард Дженнингс берут на себя обучение «магическим пассам». Но затея терпит поражение.

22 октября писатель подписывает новое завещание. Третье по счету. Два первых датируются 1975 и 1985 годами. Последнее аннулирует предыдущие. В нем Карлос объявляет о законном удочерении *Нури Александер* (Патрисии Ли Патин). Свое имущество он равными частями распределяет между *Тайшей Абеляр, Флориндой Доннер-Грау, Муни Александер, Нури Александер, Хейли Александер Ван Устин, Кайли Ландал, Талией Бей, Ниеи Мурес,* Марией Гваделупе Бланко, *Зайей Александер, Каролой Александер* и Фабианой Помпа.

В январе 1998 года издательство «Харпер Коллинз» издает странный учебник. «Магические пассы» совсем не похожи на все предыдущие книги Кастанеды. Это практический путеводитель тансегрити, снабженный множеством фотографий. На них *Кайли Ландал и Майлз Рейд* выполняют различные движения. В книге Кастанеда снова заявляет то, что повторял на платных семинарах: «Тансегрити – современная версия магических пассов шаманов древней Мексики».

Издание «Магических пассов», по-видимому, входит в программу по разоблачению тайны. По случаю появления этой любопытной книги Карлос даже опубликует статью в январском и февральском номерах «Йога джорнал» под поучительным заголовком «Движения, созданные шаманами древней Мексики, приводят в состояние внутреннего безмолвия, с помощью которого можно напрямую *видеть* энергию»[1].

Пропагандист шаманской методики, однако, измучен болезнью. Ему невольно снова приходится перейти на полуподпольное существование. В этот трудный период он чуть было не короновал «нового нагваля». Его избранник не кто иной, как Марк Антонио Карам. Этот мексиканский буддист долгое время возглавлял ассоциацию под названием «Каса Тибет». В 1994 году он организовал путешествие далай-ламы, а теперь живет в Лос-Анджелесе.

Против всяких ожиданий, Карам отвергает предложенную ему корону. Он во всеуслышание сомневается в духовных знаниях Карлоса и сразу уходит.

Кастанеде, однако, с каждым днем все хуже. Перепуганные «колдуньи» прекрасно видят, что их наставник умирает. «Воительницы» беспомощно наблюдают, как неотвратимо деградирует тот, кого они считали сверхчеловеком. Забрасывают ли они его вопросами, окружают ли его постель, умоляют ли? Покинет ли он их без дальнейших церемоний? Хочет ли он, чтобы они не бросали начатую работу, чтобы семинары продолжались, а «Клиагрин» существовал, несмотря ни на что? В ответ почти всегда раздается ворчание. Эми Уоллес вспоминает этот период апатии: «(Карлосу) было плевать на "Клиагрин".

---

1 Carlos Castaneda «Magical passes.Movements devised by shamans of ancient Mexico create a state of inner silence by which we can *see* energy directly», Yoga Journal, January 1998. Кастанеда не первый раз публикует статью экспромтом. См. «The Art of Dreaming», Psychologie today, December 1977.

Кайли умоляла его оставить инструкции. Тогда группа могла бы продолжать свою деятельность».

В последние дни 1997 года установился тягостный ритуал. Каждое утро *Флоринда, Тайша* и другие окружают ложе больного. Они читают старику основные статьи ежедневных газет. По просьбе Карлоса чтение происходит в полной тишине. Затем наступает час унижений. Указав пальцем на выбранную им жертву, Карлос изрыгает ругательства в ее адрес, пока женщина не расплачется.

Каждый день сцена повторяется ad nauseam[1]. В Вествуде пахнет смертью. *Тайша Абеляр, Кэрол Тиггс, Флоринда Доннер, Кайли Ландал* и *Талия Бей* живут там постоянно и ухаживают за нагвалем. Некоторые переехали поближе к умирающему. Отупев от болеутоляющих снадобий, Карлос весь день смотрит по видео фильмы про войну. Похоже, он вполне осознает серьезность своей болезни. Часто, в кругу приближенных, он говорит о подступающей смерти. События развиваются быстро.

По настоянию учеников, Карлос наконец объявляет свою последнюю волю. Группа тансегрити должна продолжать жить. Он называет имена будущих ведущих. А также отдает распоряжения о похоронах. Многие друзья желают умереть вместе с ним. Может быть, стоит нанять корабль, а потом утопить его где-нибудь в интернациональных водах, этакий «Титаник» для магов? Замысел вполне реален. По приказу Карлоса *Кайли Ландал* заказывает у книготорговцев «Барнс и Нобл» около пятнадцати книг по навигации. 31 октября 1997 года Мэриенн Симко *(Тайша Абеляр)*, Патрисия Ли Патин *(Нури Александер)* и Умберто Фонтанес *(Фабрицио Магалди)* уже вылетели в форт Лаудердел во Флориду, где осмотрели десятки судов.

---

1 До тошноты *(лат.)*.

23 апреля 1998 года Карлос подписывает четвертое, и последнее, завещание. В нем он оставляет все свое имущество новой организации «Иглз траст», которой поручено управлять наследством и, насколько возможно, отстаивать сплоченность группы. Таким образом, мэтр предполагает продолжать свое дело post mortem[1]. Как обычно, он делит свое состояние между учениками. В официальном документе несколько раз встречаются настораживающие слова. Избранные ученики получат наследство только в том случае, если выживут после «ключевого события», по-английски *triggering event.* Пароль смерти. Что означают эти пугающие слова? Английское *triggering* происходит от слова *trigger,* «спусковой крючок». В начале 1998 года многие верные последователи действительно покупают оружие. «Ключевое событие» означает не что иное, как «уход». В ближайшем окружении это касается каждого. Остается только узнать, *кто* последует за Карлосом в иную реальность. *Кэрол Тиггс* сразу отказывается покинуть этот мир. Остальные приводят в порядок свои дела и сжигают вещи, связанные с «личной историей». *Флоринда,* например, избавляется от своей любимой коллекции предметов в форме лягушек.

Можно сказать, что обратный отсчет начался. Трейси Крамер относит в издательство «Харпер Коллинз» рукопись последней книги «Активная сторона бесконечности». Только ли рукой Карлоса написано это произведение, учитывая состояние автора? Возможно, он продиктовал его Карен Махони, или *Нейи Мурес.* Во Франции книга выйдет под заголовком «Окончательное путешествие».

---

1 После смерти *(лат.).*

КЛЮЧЕВОЕ СОБЫТИЕ

27 апреля 1998 года в три часа утра смерть Карлоса Кастанеды засвидетельствовала врач по имени Анджелика Дуенас. Она лечила его последнее время. В тот же день в строжайшей тайне тело было кремировано в похоронной конторе «Спелдинг Мортуери» в Калвер-сити. Урну с прахом забрала президент «Клиагрин» *Талия Бей,* она же Амалия Маркес. В свидетельстве о смерти говорится, что Кастанеда скончался от метаболической энцефаллопатии вследствие почечной недостаточности, вызванной раком печени, от которого он страдал последние десять месяцев. Другими словами, он умер от диабета, перешедшего в рак.

Уход духовного вождя произошел в самом строжайшем секрете.

2 мая 1998 года группа тансегрити организует семинар в колледже Санта-Моники. Слово берет *Кэрол Тиггс.* Она умалчивает о смерти Карлоса, но выглядит чрезвычайно мрачно.

7 мая крупный семинар должен состояться в Мюнхене. В кратком официальном сообщении «Клиагрин» оповещает о том, что ни одна калифорнийская «колдунья» не сможет приехать. Обучение будет проводиться немецкими последователями. Соответственно цена участия снижена до двухсот семидесяти пяти долларов с человека.

1 июня 1998 года в магазинах, как ни в чем не бывало, появляется «новая книга» Карлоса Кастанеды «Колесо времени. Шаманы древней Мексики, их мысли о жизни, смерти и мире». Речь идет о сборнике цитат. Сам ли Кастанеда его составил? В последние месяцы жизни он вроде бы планировал выпуск книги в новом издательстве, созданном «Клиагрин», – «Эйдолона-пресс».

19 июня 1998 года о смерти Карлоса Кастанеды наконец публично объявил Карлтон Джереми, который

теперь носит имя Адриана Вэшона и с которым недавно связался нотариус, чтобы обговорить деликатный вопрос о наследстве.

Это стало началом великой суматохи. Повсюду в мире журналисты обсуждают необъявленную смерть, произошедшую двумя месяцами раньше. Агентства печати немедленно распространяют единственную фотографию, которую «Клиагрин» согласился опубликовать. 20 и 21 июня 1998 года ее печатают в «Либерасьон» с такой подписью: «Карлос Кастанеда в 1951 году. Он ненавидел портреты... особенно свои». Однако это оказалось последним обманом. На фото изображен неизвестный.

Как бы там ни было, газетные статьи высказывают то же недоверие, каким пользовался Кастанеда при жизни. В «Нью-Йорк таймс» от 5 сентября 1998 года Питер Апплбоум заявляет без обиняков: «Найдется мало университетских работников (...), считающих (книги Кастанеды) серьезным исследованием. Луис Вест, профессор психологии УКЛА, который был знаком с г. Кастанедой, когда тот писал докторскую диссертацию, говорит, что его книги в лучшем случае относятся к научной фантастике»[1].

Ни один из журналистов не упоминает о тревожном факте. Группа тансегрити продолжает свои занятия под руководством одной *Кэрол Тиггс.* Но *куда подевались другие «колдуньи»? Флоринда Доннер, Тайша Абеляр, Талия Бей* и *Кайли Ландал* исчезли с лица земли в тот день, когда умер Карлос. *Талия Бей* последней появилась на публике. Она забрала прах писателя прежде, чем *удалиться.* Что касается *Нури Александер,* она исчезла в мае 1998 года.

---

[1] Peter Applebome «Carlos Castaneda: the Litigious After-life of a Modern Sorcerer», New York Times, 5 september 1998.

В последние дни апреля 1998 года телефоны «колдуний» одновременно перестали работать.

На все вопросы служащие «Клиагрин» неизменно отвечают, что «колдуньи» «отправились в путешествие». Но о каком именно «путешествии» идет речь?

В ноябре 1998 года в издательстве «Харпер Коллинз» выходит книга «Активная сторона бесконечности». Редкие читатели улавливают ее двойной смысл. Верно то, что в ней автор старательно запутывает следы. На первый взгляд, это автобиография. «В книге описаны памятные случаи из моей жизни», – объявляет Кастанеда в самом начале. Однако описание этих случаев служит всего лишь предлогом.

Книга задумана с целью вернуть нас на последнюю скалу из «Сказок о силе». Мы помним, что дон Хуан прыгнул в пустоту, исполнив ритуал смерти посвященного. Кастанеда вспоминает уход своего наставника и погружается в мрачные размышления: «По словам дона Хуана конечной целью знания шаманов являлось подготовить нас к *окончательному путешествию* – тому, которое предстоит каждому в конце жизни». Кастанеда не пользуется философскими постулатами. Он создает теорию конца: «Благодаря своей дисциплине и твердости, говорил он, шаманы могли после смерти сохранять свое индивидуальное сознание и личные цели. То, что современные идеалисты называют расплывчатым термином «жизнь после смерти», было для них конкретным существованием, выходящим за пределы активной деятельности».

Так же, как в 1973 году дон Хуан шагнул в *иную реальность*, бросившись со скалы в пропасть, так и физическая смерть Карлоса ничего не значит, потому что жизнь воина продолжается *уровнем выше:* отныне он существует на «активной стороне бесконечности».

В решающую минуту писатель задает вопрос: должен ли он уйти один? «Я без сомнения почувствовал, что не должен умереть один». Значит ли это, что в конечном итоге Кастанеда заключил со своими верными вассалами пакт смерти? Возможно ли, чтобы *Флоринда Доннер, Тайша Абеляр, Талия Бей, Кайли Ландал* и *Нури Александер* сопровождали его в «окончательном путешествии», что они тем или иным образом *прыгнули со скалы?* Статья Мари-Терезы де Бросс в «Пари-Матч» в 1996 году вызывает дрожь страха: «Еще до трагедии в Храме Солнца критически настроенные люди, ошеломленно наблюдая за тем слепым поклонением, каким встречалось любое предложение гуру, задавались вопросом: не совершат ли эти новообращенные ученики мага коллективного самоубийства, прыгнув в пропасть, как дон Хуан и его спутники?»

Журналистка имеет в виду коллективное самоубийство членов Ордена Храма Солнца в 1994 и 1995 годах. Тогда умерли шестьдесят девять человек.

С тех пор случилась еще одна кровавая история. В 1997 году полиция обнаружила трупы тридцати девяти человек на роскошном ранчо Санта-Фе. Члены группы под названием «Врата рая» также решили вместе уйти из жизни.

Возможно ли, чтобы Кастанеда на свой лад «перешел черту»?

Против всяких ожиданий загадочная жизнь автора «Отдельной реальности» завершилась мерзостью и трагедией.

ПЕЛЕНА СПАДАЕТ

Незаметно, и как бы стыдливо, правда начинает вновь вырисовываться. Каждый спешит произнести ее. Вопросы уступают место твердой уверенности. Участники группы потихоньку начинают говорить. Оказывается, что никто из ближнего круга не питал иллюзий. В «Активной стороне бесконечности» не было ничего символического и иносказательного. Речь идет именно об уходе в *полном сознании*. Это напоминает библейского персонажа Еноха, призванного Богом *еще при жизни*, которого в Каббале отождествляют с ангелом Метатроном.

Некоторые признаются в преступном ожидании. За несколько недель до смерти Карлоса многие адепты надеялись на роковой телефонный звонок. Они *хотели*, чтобы учитель забрал их с собой. Уйти означало быть избранным. Те, кого не позвали, горько скорбят об этом и чувствуют себя брошенными, покинутыми, оставленными на берегу.

Эми Уоллес утверждает, что были попытки самоубийства: «Случались самоубийства и попытки самоубийства: одна женщина в Санта-Фе спрыгнула в овраг, «чтобы присоединиться к нагвалю». Увы, ее тело было найдено неповрежденным. По крайней мере, один из моих знакомых членов группы пытался покончить с собой по той же причине»[1].

В эти месяцы заброшенности и отчаяния Ричард Дженнингс мужественно ведет расследование. Смерть Карлоса тоже осиротила его. Однако уход учителя заставил Дженнингса пересмотреть все заново. На своем сайте www.sustained.org он принялся за работу по разоблачению. Кем на самом деле был Карлос Кастанеда и как стоит объективно оценивать его учение?

С *Кэрол Тиггс* возникает трудность. Почему та, кого Карлос называл «женщиной нагвалем», не последовала за своими товарками? Похоже, эта чувствительная, ра-

---

1 Беседа с Эми Уоллес на сайте www.sustained.org.

нимая женщина в последнюю минуту передумала отправляться в *путешествие*. Позднее, когда ее спросили о причинах такого поступка, она дала мудреный ответ: «Решение не решаться удержало меня здесь»[1].

Во всяком случае, с апреля 1998 года она остается единственной «колдуньей» клана, потерявшего путеводную нить. Ученики требуют у нее отчета. Будет ли она преподавать? Но, похоже, Кэрол Тиггс не может продолжать свою роль. Последнее, на что она нехотя соглашается, – участие в семинаре тансегрити, состоявшемся в июле 1998 года в калифорнийском городе Онтарио. Но очень скоро она оставляет всякую деятельность и замыкается в молчании, которого не нарушила до сих пор.

По просьбе учеников Карлос устроил так, чтобы группа продолжала свои занятия. После его смерти «Клиагрин» по-прежнему устраивает семинары. В числе главных преемников на сегодняшний день остаются Трейси Крамер, Брюс Вагнер, Пауло Риварола, Нина Блейк, Мария Гваделупе Бланко и Фабиана Помпа. По словам Франсуа Миллера, который время от времени присоединяется к ним, «теперь там появились очень молодые люди»[2].

Никому не приходит в голову спросить, куда подевались «колдуньи». По официальной версии они просто «ушли». Может, они и правда по привычке спрятались, исчезли, поменяли имя и образ жизни. Но почему ни одна из них не потребовала своей части наследства?

В феврале 2003 года в Долине Смерти, в Калифорнии, в местечке под названием Панамит Дьюнс, рядом с заброшенной шахтой были найдены человеческие

---

1 Беседа с Эми Уоллес от 11.02.2004 г.
2 Беседа с Франсуа Миллером от 13.02.2004 г.

останки. Не так давно в этом месте Микеланджело Антониони снимал фильм «Забриски Пойнт». Шериф округа Инио, который забирал останки, заметил, что недалеко от этого места в мае 1998 года была обнаружена брошенная машина. Человеческие останки трудно идентифицировать. Они были хорошенько обглоданы дикими зверями. Однако полицейские нашли необычный предмет. Им оказалась монета в пять французских франков, в ребро которой было вставлено лезвие. По словам Ричарда Дженнингса, любопытная вещица принадлежала Патрисии Ли Патин[1]. Так закончилась эта история, и конец ее был бесславным.

Что касается организации «Клиагрин», там все объясняют с философской точки зрения. Адепты цитируют слова, которые приписываются дону Хуану: «В миг перехода все тело озаряется знанием». И «Клиагрин» делает заключение: «Карлос Кастанеда покинул мир так же, как это сделал его учитель дон Хуан Матус, – в полном сознании». А как же «ученицы»? «Клиагрин» утверждает, что они по-прежнему в этом мире: «Ученицы дона Хуана Матуса находятся здесь, чтобы следить за тем, как инструкторы тансегрити стремятся воплотить в реальность заветную мечту Карлоса Кастанеды: мечту о том, как с помощью магических пассов тела людей объединятся в одно, отправляясь по дороге сознания. Пока что они не желают лично присутствовать на семинарах, потому что хотят, чтобы эта мечта набрала высоту»[2].

Однако мечта вполне может разбиться где-нибудь в Долине Смерти.

---

1 Из беседы с Ричардом Дженнингсом от 11.02.2004 г.

2 «Вопросы об уходе Карлоса Кастанеды», на сайте www.cleargreen.com.

ЗАКЛЮЧЕНИЕ

ПРЕСТУПИТЬ ИЛИ ИСЧЕЗНУТЬ?

В середине зимы я прилетел в Лос-Анджелес.

Мне нужно было своими глазами увидеть те места, настоящие места, где бывал Карлос Кастанеда. Что, собственно, я знал о нем? Есть ли у меня законное право написать книгу? Мне без конца приходилось довольствоваться обрывками нелепых слухов, сведениями, которые невозможно проверить, исповедями вполголоса.

Я слонялся вокруг дома на Пандора-авеню подобно вору. Я заходил в рестораны, где бывал он. Пробовал его любимые блюда. Разговаривал с официантами. Словно неприкаянный призрак, я долго бродил в одиночестве по «городу ангелов» в поисках знаков, слов, образов и символов.

Однажды я ехал по бесконечному переполненному шоссе в час, когда сумерки наполнили мир сказочной игрой красок, а тени небоскребов незаметно становились длиннее. Я вспомнил, что для Кастанеды это было особенное время, которое открывало «брешь» меж двух миров. Что делал я здесь за рулем прокатной машины? Надеялся ли на чудо? Я хотел понять. Этот человек окружил себя густым туманом, но облака начинали рассеиваться. Мне казалось, что в Лос-Анджелесе пелена стала спадать.

Сначала меня охватило раздражение. Что мне, в конце концов, думать об этом обманщике, болтуне, фразере и плуте, который всю жизнь выдумывал, приукрашивал и создавал себя заново, чтобы вернее обольстить и уничтожить?

На протяжении всей жизни Карлос Кастанеда не переставал рассказывать всякий вздор. Самой блестящей из его выдумок стал дон Хуан. Очевидно, что Хуан – это сам Карлос, и этот персонаж выбран им не случайно[1].

Разве не был Кастанеда всю жизнь закоренелым соблазнителем, пытавшимся завоевать мир и сердца ложью и обаянием?

Разве не коллекционировал он женщин, собирая их в современных гаремах? Разве его жизнь не свидетельствует об отчаянном желании обольщать, словно перуанский эмигрант хотел во что бы то ни стало воплотить мечту янки, заставив забыть о своем чересчур «заурядном» происхождении?

Дон Хуан выступает как бы защитником Кастанеды. Похоже, писатель даже примерил на себя всю его сложность. Персонаж Мольера и Моцарта прежде всего преступник. Он соблазняет замужних дам, ломает судьбы, нарушает действующие законы и восстает против общественной морали. Он разведчик и разрушитель. Он попирает приличия и переходит границы. Преступить или исчезнуть? Дон-Жуан даже бросает вызов смерти. Он ужинает с ней за одним столом, пока его не уносит «каменный гость».

---

[1] В латинской транскрипции «дон Хуан» и «дон Жуан» пишутся одинаково.

Соблазнитель и нарушитель устоев. Таков облик Карлоса Кастанеды. По образу литературного Дон-Жуана он попрал правила и действующие законы таким образом, что его произведения совершенно невозможно отнести к какому-либо жанру. Разве не получил он степень доктора антропологии благодаря романтическому, поэтичному произведению о приобщении к тайне? Он подчинил своей власти американский университет. Он обольстил целый мир. Он преследовал женщин. Он обманывал всласть. Он продал миллионы книг, называя их «репортажами».

Должны ли мы считать его мошенником или мифоманом крупного масштаба? Ограничился ли он тем, что «задурил голову» нескольким ученикам и соблазнил их подружек? Я быстро почувствовал, что такое ограничение заведет в тупик.

Существует лишь загадка его книг. Конечно, писатель создал странного индейца яки. Но он вложил в его уста слова поразительной красоты, вплетенные в незамысловатый, ошеломляющий текст. Произведение Кастанеды подобно вратам, распахнутым в *другой* мир.

Чтобы понять его, бесполезно колесить по аризонской пустыне. Сам он наверняка побывал там лишь как турист. Прощай, сон об индейце яки и его сказочный шлейф. Ключ к тайне – в Лос-Анджелесе. По этому бесконечному, призрачному городу ходят пешком в поисках себя. Нашел ли Кастанеда свой путь в этой внутренней пустыне или окончательно заблудился на переполненном шоссе?

Он стал первопроходцем и провозвестником. От него остались слова, вехи, вопросы без ответов и указатель: «Все дороги похожи. Они ведут в никуда».

Поэзия не обманывает.

Карлос Кастанеда, или Истина лжи.

Библиография

ОРИГИНАЛЬНЫЕ ПРОИЗВЕДЕНИЯ КАРЛОСА КАСТАНЕДЫ В ХРОНОЛОГИЧЕСКОМ ПОРЯДКЕ

Статья в «The Collegian», печатный орган Los Angeles Community College, Vermont Street, Hollywood, 1958.

(В соавторстве с Альбертой Гринфилд), «The Whole World Sounds Strange, Don't You Think?», неопубликованная рукопись, Los Angeles, 1965.

«The Teachings of don Juan: a Yaqui Way of Knowledge», University of California Press, Los Angeles, 1968.

«The didactic uses of hallucinogenic plants: an examination of a system of teaching», Abstracts of the sixty-seventh annual meeting of the American Anthropological Association, B-21-22, 1968.

«A Separate Reality: Further Conversations with don Juan», Simon and Schuster, New York, 1971.

«A Journey to Ixtlan: The Lessons of don Juan», Simon and Schuster, New York, 1972.

«Sorcery: A Description of the World», докторская диссертация, UCLA, Dissertation Abstracts International, 1973.

«Tales of Power», Simon and Schuster, New York, 1974.

«The Second Ring of Power», Simon and Schuster, 1977.

«The Art of Dreaming», Psychology today, decembre 1977.

«The Eagle's Gift», Simon and Schuster, New York, 1981.

«The Fire From Within», Simon and Schuster, New York, 1984.

Предисловие к книге Florinda Donner «Witch's Dream», Simon and Schuster, New York, 1985.

«Seis proposiciones explicatorias», приложение к мексиканскому изданию «The Eagle's Gift», «El Don del Aguila», Diana, Mexico, 1985.

«The Power of the Silence», Simon and Schuster, New York, 1987.

Предисловие к книге Florinda Donner «Being in Dreaming», HarperSanFrancisco, San Francisco, 1991.

Предисловие к книге Taisha Abelar «The Sorcerer's Crossing, A Woman's Journey», Viking, New York, 1992.

«The Art of Dreaming», HarperCollins, New York, 1993.

«Magical Passes: Movements devised by shamans of ancient Mexico create a state of *inner* silence by which we can *see* energy directly», Yoga Journal, январь 1998.

«Magical Passes, Practical Wisdom from the Sorcerers of Ancient Mexico», HarperCollins, New York, 1998.

«The Active Side of Infinity», HarperCollins Publishers, New York, 1998.

«The Wheel of time, The Shamans of ancient Mexico, their thoughts about life, death and the universe», Eidolona Press, Los Angeles, 1998.

ПРОИЗВЕДЕНИЯ КАРЛОСА КАСТАНЕДЫ, ОПУБЛИКОВАННЫЕ НА ФРАНЦУЗСКОМ ЯЗЫКЕ, В ХРОНОЛОГИЧЕСКОМ ПОРЯДКЕ

«L'Herbe du diable et la petite fumée, une voie yaqui de la connaissance», traduit par Marcel Khan, Nicole Ménant et Henri Sylvestre, Éditions du Soleil Noir, 1972.

«Voir, les enseignements d'un sorcier yaqui», traduit par Marcel Kahn, postface de Jean Monod, Éditions Gallimard, Paris, 1973.

«Le voyage à Ixtlan, les leçons de don Juan», traduit par Marcel Kahn, Éditions Gallimard, Paris, 1974.

«Histoire de pouvoir», traduit par Carmen Bernand, Éditons Gallimard, Paris, 1975.

«Le Second Anneau de pouvoir», traduit par Guy Casaril, Éditions Gallimard, Paris, 1979.

«Le Feu du dedans», traduit par Amal Naccache, Éditions Gallimard, Paris, 1982.

«Le Don de l'aigle», traduit par Guy Casaril, Éditions Gallimard, Paris, 1988.

«La Force du silence», traduit par Amal Naccache, Éditions Gallimard, Paris, 1988.

«L'Art de rêver, les quatre portes de la perception de l'univers», traduit par Marcel Kahn, Éditions du Rocher, Monaco, 1994.

Préface au livre de Florinda Donner-Grau, «Les portes du rêve», traduit par Laurence Minard, Éditions du Rocher, Monaco, 1995.

«Passes magiques, les pratiques traditionnelles des chamans de l'ancien Mexique», traduit par Emmanuel Scavée, Éditions du Rocher, Monaco, 1998.

Préface au livre de Taisha Abelar «Le passage des sorciers, voyage initiatique d'une femme vers l'autre réalité», traduit par Sylvie Carterton, Éditions du Seuil, Paris, 1998.

«La Roue du temps, les chamans du Mexique ancien, leurs pensées sur la vie, la mort, l'univers», traduit par Céline Mimouni, «Articles et interviews, des débuts jusqu'a sa mort» (1998), édition privée, 1999 (recueil pirate de textes divers, glanés sur Internet).

«Le Voyage définitif», traduit par Nikou Tridon, Éditions du Rocher, Monaco, 2000.

ВОСПОМИНАНИЯ И КРИТИЧЕСКИЕ СТАТЬИ В АЛФАВИТНОМ ПОРЯДКЕ

Taisha Abelar «The Sorcerer's Crossing, A Woman's Journey», Viking, New York, 1992.

Martin Broussalis «Castaneda for Begginers», иллюстрации Мартина Арвалло, Writers and Readers Publishing, New York, 1998.

Carl Brown, Ray Vernon «A Phenomenological Survey of Carlos Castaneda, Eductional Implications and Applications», dissertation, Stanford University, 1977.

Stuart Brown (под редакцией) «Biographical Dictionary of Twentieth-Century Philosophers (Биографический словарь философов XX века), Routledge, New York, 1996.

Maurice Caucagnac «Rencontres avec Carlos Castaneda et Pachita la guérisseuse», Albin Michel, Paris, 1990.

Graciela Corvalan «Conversation de fond avec Carlos Castaneda», traduit par Eva Martini, Éditions du Cerf, Paris, 1992.

Florinda Donner «Shabono: A Visit to a remote and magical world in the heart of the south american jungle», Delacorte Press, New York, 1982.

Florinda Donner «Being in Dreaming», HarperSanFrancisco, San Francisco, 1991.

Neville Drury «Don Juan, Mescalito and Modern Magic», Arkana, London and New York, 1978.

Bernard Dubant, Michel Marguerie «Castaneda, la voie du guerrier», Guy Trédaniel, Paris, 1981.

Bernard Dubant, Michel Marguerie «Castaneda, le saut dans l'inconnu», Guy Trédaniel, Paris, 1982.

Bernard Dubant «Castaneda, le retour à l'esprit», Guy Trédaniel, Paris, 1989.

Jay Courtney Fikes «Carlos Castaneda, Academic Opportunism and the Psychedelic Sixties», Millenia Press, Victoria, 1993.

Carmina Fort «Conversaciones con Carlos Castaneda» Heptada Ediciones, Madrid, 1991.

Gaby Geuter «Filming Castaneda, The Hunt for Magic and Reason», 1stBooks, Bloomington, 2004.

John Gilmore, «Laid Bare, A Memoir of Wrecked Lives and the Hollywood Death Trip», Amok, Los Angeles, 1997.

Martin Goodman «I was Carlos Castaneda, The Afterlife Dialogues», Three Rivers Press, New York, 2001 (так называемые *посмертные* беседы с Кастанедой).

Steven Jeffrey Hendlin «Toward a Converging Philisophy, Don Juan Matus and the Gestalt Therapy of Frederick Perls», дипломная работа, United States International University, 1973.

Daniel Kessler «Carlos Castaneda, un aperçu du monde des sorciers mexicains», cours de psysiologie et représentations du monde extérieur du département de physique de l'École polytechnique fédérale de Lausanne, 1995.

Timothy Leary «Flashbacks, A Personal ans Cultural History of an Era, An Autobiography», предисловие William Burroughs, Putnam's Sons, New York, 1983.

Milo Manara «Voyage à Tulum sur un projet de Federico Fellini pour un film en devenir», Éditions Casterman, Paris, 1990.

Richard de Mille «Castaneda's Journey, The Power and Allegory», Capra Press, Santa Barbara, 1976.

Richard de Mille «The Don Juan Papers, Further Castaneda Controversies», Ross-Erikson, Santa-Barbara, 1980.

Daniel C. Noel (под редакцией) «Seeing Castaneda, Reactions to the «don Juan» Writings of Carlos Castaneda», Putnam's, New York, 1976.

Margaret Runyan Castaneda «A Magical Journey with Carlos Castaneda», Millenia Press, Victoria, 1997.

Victor Sanchez «Las Ensenenzas de don Carlos, Applicaciones practicas de la obra de Carlos Castaneda», Lectorum, Mexico, 1987.

David Silverman «Reading Castaneda, A Prologue to the Social Sciences», Routledge and Kegan Paul, 1975.

Véronique Skawinska «Rendez-Vous sorcier avec Carlos Castaneda», Éditions Denoël, Paris, 1989.

Dennis Timm « Die Wirklichkeit und der Wissende, Eine Studie zu Carlos Castaneda», Litterarisches Informationszentrum Josef Wintjes, Bottrop, 1978.

Dennis Timm (под редакцией) «Nagual Junior, Anthologie zu Carlos Castaneda», Huba, 1982.

Tomas «Creative Victory, Reflections on the Process of Power from the Collected Works of Carlos Castaneda», Samuel Weiser, 1995.

Merilyn Tunneshende «Don Juan and the Art of Sexual Energy, The Rainbow Serpents of the Toltecs», Inner Traditions, 2001.

Amy Wallace «Sorcerer's Apprentice, My Life with Carlos Castaneda», Frog Limited, Berkeley, 2003.

Donald Lee Williams «Border Crossings, A Psychological Perspective on Carlos Castaneda's Path of Knowledge», Inner City Books, Toronto, 1981.

БЛАГОДАРНОСТЬ

Я горячо благодарю всех тех, кто так или иначе помог мне в создании книги, это: Бернар Бландр, Мари Буэ, Юбер де ла Буйери, Морис Коканъяк, Ален Кромбек, Жером Дюва, Госпожа Фурнье, Джим Гауер, Габи Гейтер, Жан-Мишель Гутье, Ричард Дженнингс, Мишель Малко, Грег Мэмишен, Франсуа Миллер, Коринн Рюссо, Эми Уоллес, Джессика Вестфал и Орель Зиглер.

КРИСТОФ БУРСЕЙЕ

Карлос Кастанеда. Истина лжи

Ответственный редактор Е. Пучкова
Редактор Е. Энсани
Корректор О. Наренкова
Компьютерная верстка И. Буслаева

Подписано в печать 6.03.2008
Формат 84 x 108/32. Усл.-печ. л. 10,92
Бумага писчая. Печать офсетная.
Тираж 2000 экз. Заказ № 0729650.

Холдинг «Городец»
ООО «ИД «Флюид»
109382, Москва, ул. Краснодонская, д. 20, корп.2
тел./факс: (495) 351-55-90, 351-55-80
e-mail: fluid@gorodets.com

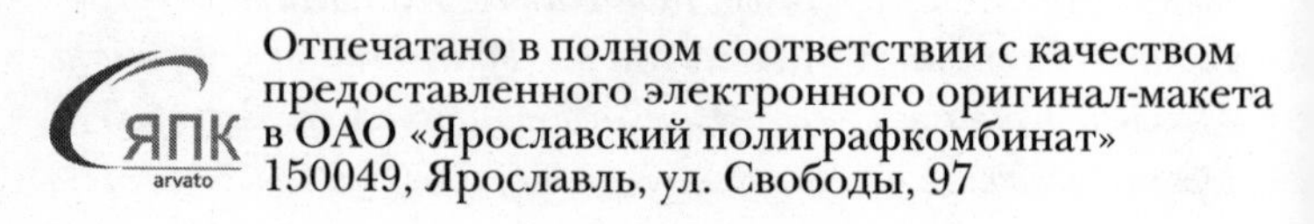

Отпечатано в полном соответствии с качеством
предоставленного электронного оригинал-макета
в ОАО «Ярославский полиграфкомбинат»
150049, Ярославль, ул. Свободы, 97